2026年度版

教員採用試験

特別支援学校 らくらくマスター

資格試験研究会 編

実務教育出版

本書の特長と活用法

本書は，教員採用試験で出題される特別支援教育の基礎的・専門的事項をマスターするための要点チェック本である。本書１冊で，専門教科を含めた学習がひととおり進められるように構成されているので，特別支援学校の校種を受験する人の効率的な学習が可能となる。

本書の活用法

１．頻出度

各テーマの頻出度を，A～Cの３段階で示す。

A：非常によく出題される　B：よく出題される

C：出題頻度は高くないが出題される

２．ここが出る！

各テーマ内で，どのような内容や形式が出題されているかを具体的に示す。また，特に押さえておくべき事項などについても触れている。

３．重要語句

最も重要な語句・覚えるべき事項は赤字になっている。付属の暗記用赤シートで赤字を隠すことにより，空欄補充問題を解いているような感覚で暗記することができる。また，次に重要な語句は黒の太字で示されているので，こちらもしっかり押さえよう。

４．ストップウォッチアイコンをスピード学習に役立てよう！

重要度の高い項目として，全体の２割ぐらいの項目を選び，⏱のアイコンを付けてある。⏱の付いた項目を覚えていけば，学習時間の大幅な短縮も夢ではないだろう。特に本番の試験までもう時間がなくて「困った！」というような場合に活用しよう。

◇まずは暗記しよう！

教員採用試験では，択一式，一問一答，空欄補充，○×式，論述など，さまざまな出題形式が見られるが，中でも空欄補充形式の問題がかなり出題される。また，ひねった問題は少ないので，基本事項をしっかり押さえることで問題を解く力は十分につく。まずは要点を暗記しよう。

テーマ 3 ● 特別支援教育の基礎

通常の学校における特別支援教育

頻出度 A

ここが出る!

- 通常の学校でも，特別支援教育は行われる。具体的には，特別支援学級の設置や通級による指導によって，対応される。それぞれの対象となる，障害の種別について知っておこう。
- 対象者で多いのは，どのような障害の子どもか。

1 特別支援学級

特別支援学級は，従来の特殊学級の名称が改められたものである。

●定義

□【● 特別支援学級 】…障害の比較的**軽い**子どものために，小・中学校に障害の種別ごとに置かれる**少人数**の学級である。(文部科学省)

□知的障害，肢体不自由，病弱・身体虚弱，弱視，難聴，言語障害，自閉症・情緒障害の学級がある

●法規定

学校教育法第81条に，基本的な定めがある。

□幼稚園，小学校，中学校，義務教育学校，高等学校及び中等教育学校においては，次項各号のいずれかに該当する幼児，児童及び生徒その他教育上特別の支援を必要とする幼児，児童及び生徒に対し，文部科学大臣の定めるところにより，障害による学習上又は生活上の困難を克服するための教育を行うものとする。

□小学校，中学校，義務教育学校，高等学校及び中等教育学校には，次の各号のいずれかに該当する児童及び生徒のために，特別支援学級を置くことができる。

1．知的障害者　2．肢体不自由者　3．身体虚弱者
4．弱視者　5．難聴者　6．その他障害のある者で，特別支援学級において教育を行うことが適当なもの

●教育課程

□特別支援学級の教育課程は，基本的には，小・中学校の学習指導要領に基づいて編成される。特に必要がある場合には，特別の教育課程を編成することができる。

14

◇試験直前ファイナルチェックと実力確認問題で力を試そう！

「試験直前ファイナルチェック」として，各領域の終わりには，全問○×形式の問題を設けてある。本番の試験で合格するために必要な知識の理解度をもう一度確認しておこう。

「実力確認問題」は，教員採用試験の問題と同形式のオリジナル問題である。ひととおり暗記したら，自分の知識がどのくらい定着したかを確かめるためにトライしてみよう。解けない問題があれば，問題文の最後に参照テーマが書いてあるので，そこへ戻ってもう一度復習しよう。

出題傾向と対策

本書の内容は，大きく５つの領域に分かれる。この領域構成に沿って，試験での頻出事項を概説していこう。

①特別支援教育の基礎

特別支援教育の概念，特別支援教育が導入された理由，従来の特殊教育と特別支援教育との違いなど，論述問題で狙われそうなテーマが数多くある。中央教育審議会答申などの公的文書をしっかりと読み込んでおく必要がある。障害のある子どもの就学手続きについてもよく問われる。就学指導の制度や，特別支援学校の対象となる障害の程度について深く知っておこう。また，一人一人の子どもを手厚くケアするために作成する，個別の教育支援計画や個別の指導計画も頻出。概念の説明のほか，計画作成に際しての留意事項の正誤判定問題などがよく出る。障害児教育の歴史も要注意。著名な人物や国内の制度史･政策史を押さえること。

②特別支援学校

特別支援学校学習指導要領の総則は必出。教育課程編成の基本事項の空欄補充や，教育課程実施上の配慮事項の正誤判定問題などがよく出る。重度の障害を持つ子どもを教育する際の，教育課程編成の特例事項など，細かい部分まで押さえておこう。知的障害児を対象とした教育課程の教科の中身や，自立活動の内容など，特別支援学校独自の事項も要注意である。知的障害児の教科の目標・内容を問う問題も散見される。小学部の生活科，高等部の職業科を重点的にみておきたい。その他，「交流及び共同学習」，「特別支援教育コーディネーター」，「センター的機能」など，重要なキーワードがある。これらについては，概念を論述させる問題が多い。対応できるようにしよう。

③障害の理解

各種の障害に関する医学的な事項である。この部分からの出題が最も多い。それぞれの障害の概念，原因，主な症状などについて，しっかりと理解しておく必要がある。「網膜色素変性」といった視覚障害の症状を選択肢なしで答えさせる，オージオグラムから平均聴力を計算させるなど，難易度の高い問題が毎年のように出題される。自立活動において重点的に取り上げるべき内容を，障害の種別ごとに答えさせる問題もよく出る。弱視レンズ，AAC，VOCA など，教育機器に関わる問題も多い。問題の出題元の資料は，文部科学省「障害のある子供の教育支援の手引」（2021 年）とほぼ決まっている。難解な医学書の類を読む必要はない。本書ではこの資料を元に，各障害の「概念・合理的配慮・指導方法」の 3 本立てで整理している。しっかり読み込んでほしい。小・中学生の 8.8% に相当するといわれる発達障害に関する理解を深めておくことも重要だ。

④障害の診断・検査

障害を発見するための各種の検査技法について問われることが多い。発達，知能，視覚，聴覚，言語，および性格の各側面を把握する代表的な検査技法について知っておこう。形式としては，検査の名称，創案者，内容の概説文を結びつけさせる問題が多い。この手の問題に対処するには，重要なキーワードに着眼した整理をしておくとよい。たとえば，「ビネー式知能検査＝知能指数」というように。ウェクスラー知能検査（WISC- V）は出題頻度が高い。検査項目の内容まで頭に入れておこう。加えて，母子保健法や学校保健安全法で規定されている健康診査の検査項目など，制度的な部分についても知っておこう。

⑤時事事項

出題頻度が高いのは，ICF（国際生活機能分類）である。厚生労働省の文書で提示されている概念図の空欄補充問題が多い。必ず正答できるようにしよう。次に重要なのは，障害者基本法，障害者雇用促進法，発達障害者支援法などの重要法規である。とくに，障害者雇用促進法からの出題が多い。企業，国，地方公共団体等に課されている，障害者の法定雇用率や，それを達成している企業の割合などのデータを知っておこう。障害者への不当な差別的取扱いや合理的配慮の具体例も頻出。また，ノーマライゼーション，インクルージョン，共生社会といった重要用語の概念も要注意である。インクルーシブ教育に関する，2012 年 7 月の中央教育審議会報告（テーマ 71）は，しっかり見ておくこと。

目次

本書の特長と活用法　2
出題傾向と対策　4

特別支援教育の基礎 ………… 9

1　特別支援教育の概念　10
2　特別支援学校　12
3　通常の学校における特別支援教育　14
4　教科書，学級編制　18
5　特別支援教育の対象　20
6　就学のプロセス　24
7　特別支援教育の教育課程　26
8　個別の指導計画・教育支援計画　28
9　障害児教育の歴史(年表)　30
10　障害児教育の歴史(人物)　32
試験直前ファイナルチェック　34

特別支援学校 ………… 35

11　教育の基本と教育課程の役割　36
12　内容等の取扱い　38
13　授業時数等の取扱い　40
14　指導計画の作成等に当たっての配慮事項　42
15　教育課程の実施と学習評価　44
16　児童又は生徒の調和的な発達の支援　46
17　学校運営上の留意事項　48
18　センター的機能　52
19　重複障害者等に関する教育課程　54
20　各教科等の指導計画の作成　56
21　知的障害者の特別支援学校①　60
22　知的障害者の特別支援学校②　64
23　知的障害者の特別支援学校③　66
24　道徳科，外国語活動，総合的な学習の時間，特別活動　72
25　自立活動の目標と内容　74
26　自立活動の指導計画の作成と内容の取扱い　78
27　幼児期の終わりまでに育ってほしい姿　80
試験直前ファイナルチェック　82

障害の理解 ……83

28 視覚障害の概念と実態把握 84
29 視覚障害のある子どもに対する指導内容 88
30 歩行指導 90
31 点字 92
32 視覚障害児教育の教材・教具 94
33 聴覚障害の概念と実態把握 96
34 聴覚障害のある子どもへの教育的対応 100
35 手話，指文字 102
36 補聴器，人工内耳 104
37 知的障害の概念と実態把握 106
38 知的障害のある子どもの特性と教育的対応 110
39 知的障害のある子どもへの特別な指導内容 112
40 肢体不自由の概念と疾患 114
41 肢体不自由児教育における合理的配慮 118
42 肢体不自由児の指導 120
43 病弱・身体虚弱の概念と疾患 122
44 病弱・身体虚弱児の指導① 126
45 病弱・身体虚弱児の指導② 128
46 言語障害の概念と実態把握 130
47 言語障害児の指導 134
48 自閉症・情緒障害の概念と実態把握 136
49 自閉症・情緒障害児の指導 138
50 重複障害児の指導 140
51 発達障害の概念と実態把握 144
52 発達障害児の指導 148
試験直前ファイナルチェック 150

障害の診断・検査 ……153

53 発達検査 154
54 知能検査 156
55 視覚検査 158
56 聴覚検査 160
57 言語検査 162
58 性格検査 164
59 特別支援教育で用いられる指導法 166
60 障害の発見に関わる制度 168
試験直前ファイナルチェック 170

時事事項……171

61　ICF（生活機能と障害の分類法）　172
62　障害者の権利に関する条約　174
63　障害者基本法・障害者基本計画　176
64　障害者差別解消法　178
65　障害者差別の解消の推進に関する対応指針　180
66　障害者総合支援法　182
67　教育と福祉　184
68　障害者関連のマーク・障害者手帳　186
69　発達障害者支援法　188
70　障害者雇用　190
71　インクルーシブ教育システム　192
72　医療的ケア児支援法　196
73　特別支援教育の推進について（通知）　198
74　令和の特別支援教育　200
75　障害のある子供の教育支援の手引　202
76　特別支援学校学習指導要領変遷史　204
77　特別支援教育におけるキャリア教育　206
78　ICTの活用　208
79　障害者のスポーツ　210
80　特別支援教育の統計　212
試験直前ファイナルチェック　214

実力確認問題　215
索引　234

特別支援教育の基礎

テーマ 1

● 特別支援教育の基礎

特別支援教育の概念

ここが出る!

- 特別支援教育の公的な概念を押さえよう。障害のある子どもは特殊なのではなく，個別の教育ニーズを持つだけの存在である。
- 近年の障害者施策の動向を知っておこう。年表の空欄補充問題がよく出る。

1 特別支援教育とは

●特殊教育から特別支援教育へ

□障害のある子どもの教育は，以前は**特殊教育**といっていた。それを行う学校は，**養護学校**，盲学校，聾学校というように分かれていた。

□障害の程度等に応じ特別の場で指導を行う「特殊教育」から，障害のある児童生徒一人一人の**教育的ニーズ**に応じて適切な教育的支援を行う「**特別支援教育**」への転換を図る。

□2006年 6 月の学校教育法改正により，養護学校・盲学校・聾学校が**特別支援学校**に一本化された。

●特別支援教育の概念

公的な概念規定である❶。空欄補充の問題が多い。

□特別支援教育は，障害のある幼児児童生徒の**自立**や社会参加に向けた主体的な取組を支援するという視点に立ち，幼児児童生徒一人一人の**教育的ニーズ**を把握し，その持てる力を高め，生活や学習上の困難を改善又は**克服**するため，適切な指導及び必要な**支援**を行うものである。

□また，特別支援教育は，これまでの特殊教育の対象の障害だけでなく，知的な遅れのない**発達障害**も含めて，特別な支援を必要とする幼児児童生徒が在籍する**全て**の学校において実施されるものである。

2 特別支援教育を受けている児童生徒数

特別支援教育を受けている児童生徒はどれほどいるか。

❶文部科学省「特別支援教育の推進について」（2007年 4 月）による。

□特別支援学校在籍者は**14**万8,635人で，全幼児児童生徒の1.04%に当たる。(2022年度)

□特別支援学級在籍者は**35**万3,438人で，全幼児児童生徒の2.47%に当たる。(2022年度)

□通級による指導を受けている児童生徒は**18**万3,879人で，全児童生徒の1.27%に当たる。(2021年度)

3 障害者施策をめぐる国内外の動向

● **国際動向**

1992(平4)	アジア太平洋障害者の**10年**を決議
1994(平6)	**サラマンカ宣言**を採択 ⇒障害のある子どもを含めた万人のための学校を提唱
2001(平13)	**国際生活機能分類(ICF)**を採択
2006(平18)	**障害者の権利に関する条約**を採択

● **日本**

2002(平14)	障害者基本計画を閣議決定
2005(平17)	**発達障害者支援法**を施行
2006(平18)	**障害者自立支援法**を施行 **教育基本法**を改正 ⇒障害のある者に対する教育上の支援について規定
2007(平19)	特別支援教育を**学校教育法**に位置づける
2011(平23)	**障害者基本法**を改正 ⇒「合理的配慮」の概念を盛り込む
2012(平24)	**障害者虐待防止法**を施行 共生社会の形成に向けた**インクルーシブ教育**システム構築のための特別支援教育の推進(報告)
2013(平25)	**障害者総合支援法**施行 学校教育法施行令改正 ⇒障害児の就学先決定の仕組みを定める
2014(平26)	**障害者の権利に関する条約**を批准 ⇒障害者の権利の保障に向けた取組を強化
2016(平28)	**障害者差別解消法**を施行
2018(平30)	高等学校等における，**通級による指導**を制度化
2021(令3)	**特別支援学校設置基準**を公布

テーマ **2**

● 特別支援教育の基礎

特別支援学校

ここが出る! ▶▶

- **特別支援教育の中核を担う，特別支援学校の目的はどのようなものか。学校教育法第72条はしっかり覚えよう。**
- **特別支援学校には，どのような機能が期待されるか。特別支援学校の設置義務を負うのは誰か。**

1 特別支援学校の目的

特別支援学校の目的は，学校教育法第72条で規定されている。重要な条文なので，しっかり覚えよう。

□特別支援学校は，**視覚障害者**，聴覚障害者，知的障害者，**肢体不自由者**又は病弱者(身体虚弱者を含む。以下同じ)に対して，幼稚園，小学校，中学校又は**高等学校**に準ずる❶教育を施すとともに，**障害**による学習上又は生活上の困難を克服し**自立**を図るために必要な知識技能を授けることを目的とする。

2 特別支援学校に期待される機能

特別支援学校は，地域の特別支援教育の**センター**としての機能も期待される。2007年の文部科学省通知❷では，以下のように言われている。

□特別支援学校制度は，障害のある幼児児童生徒一人一人の**教育的ニーズ**に応じた教育を実施するためのものであり，その趣旨からも，特別支援学校は，これまでの盲学校・聾学校・養護学校における特別支援教育の取組をさらに推進しつつ，様々な**障害種**に対応することができる体制づくりや，学校間の**連携**などを一層進めていくことが重要であること。

□特別支援学校においては，これまで蓄積してきた専門的な知識や技能を生かし，地域における特別支援教育の**センター**としての機能の充実を図ること。

□幼稚園，小学校，中学校，高等学校及び**中等教育学校**の要請に応じ

❶「準ずる」とは同一という意味である。(特別支援学校学習指導要領)

❷文部科学省「特別支援教育の推進について」(2007年4月)による。

て，発達障害を含む障害のある幼児児童生徒のための**個別の指導計画**の作成や個別の**教育支援計画**の策定などへの援助を含め，その支援に努めること。

3 特別支援学校の設置と名称

2022年度の特別支援学校在籍者は14万8,635人で，前年度より2,350人増加。過去最多である。

●設置

特別支援学校の設置義務を負うのは**都道府県**である。

□**都道府県**は，その区域内にある学齢児童及び学齢生徒のうち，視覚障害者，聴覚障害者，**知的障害者**，肢体不自由者又は病弱者で，その障害が第75条の政令❸で定める程度のものを就学させるに必要な**特別支援学校**を設置しなければならない。（学校教育法第80条）

□特別支援学校には，**小学部**及び中学部を置かなければならない。ただし，特別の必要のある場合においては，そのいずれかのみを置くことができる。（第76条第１項）

□特別支援学校には，小学部及び中学部のほか，**幼稚部**又は高等部を置くことができ，また，特別の必要のある場合においては，前項の規定にかかわらず，小学部及び中学部を置かないで幼稚部又は**高等部**のみを置くことができる。（第76条第２項）

●寄宿舎

特別支援学校は県内に数校しかないので，寄宿舎も必要になる。

□特別支援学校には，**寄宿舎**を設けなければならない。ただし，特別の事情のあるときは，これを設けないことができる。（第78条）

□寄宿舎を設ける特別支援学校には，**寄宿舎指導員**を置かなければならない。（第79条第１項）

●備えるべき施設

□特別支援学校の校舎には，少なくとも以下の施設を備える。①教室，②**自立活動室**，③**図書室**，④職員室。（特別支援学校設置基準第15条）

□校舎には必要に応じて，**専門教育**を施すための施設を備える。

❸学校教育施行令第22条の３である。21ページを参照のこと。

テーマ 3

● 特別支援教育の基礎

通常の学校における特別支援教育

ここが出る! ▶▶

- 通常の学校でも，特別支援教育は行われる。具体的には，特別支援学級の設置や通級による指導によって，対応される。それぞれの対象となる，障害の種別について知っておこう。
- 対象者で多いのは，どのような障害の子どもか。

1 特別支援学級

特別支援学級は，従来の特殊学級の名称が改められたものである。

●定義

□【 特別支援学級 】…障害の比較的**軽い**子どものために，小・中学校に障害の種別ごとに置かれる**少人数**の学級である。（文部科学省）

□**知的障害**，肢体不自由，病弱・身体虚弱，**弱視**，難聴，言語障害，自閉症・**情緒障害**の学級がある

●法規定

学校教育法第81条に，基本的な定めがある。

□幼稚園，**小学校**，中学校，義務教育学校，**高等学校**及び中等教育学校においては，次項各号のいずれかに該当する幼児，児童及び生徒その他教育上特別の支援を必要とする幼児，児童及び生徒に対し，文部科学大臣の定めるところにより，**障害**による学習上又は生活上の困難を**克服**するための教育を行うものとする。

□**小学校**，中学校，義務教育学校，高等学校及び中等教育学校には，次の各号のいずれかに該当する児童及び生徒のために，**特別支援学級**を置くことができる。

1．**知的障害者**　2．肢体不自由者　3．**身体虚弱者**
4．弱視者　5．**難聴者**　6．その他障害のある者で，特別支援学級において教育を行うことが適当なもの

●教育課程

□特別支援学級の教育課程は，基本的には，小・中学校の学習指導要領に基づいて編成される。特に必要がある場合には，**特別の教育課程**を編成することができる。

□特別の教育課程を編成する場合は，**特別支援学校**の小・中学部の学習指導要領を参考とし，実情に合った教育課程を編成する。また，特別支援学校の**自立活動**を取り入れる。

2 通級による指導

通常の学級に在籍する，軽度の障害のある児童生徒に対しては，**通級による指導**が実施される。

●定義

□【　通級による指導　】…**通常の学級**に在籍している障害の軽い子どもが，ほとんどの授業を通常の学級で受けながら，障害の状態に応じた特別の指導を**特別な場**で受けること。1993年度に制度化された。

●通級による指導の対象

学校教育法施行規則第140条で規定されている。

□小学校，中学校，義務教育学校，**高等学校**又は中等教育学校において，次の各号のいずれかに該当する児童又は生徒のうち当該障害に応じた特別の指導を行う必要があるものを教育する場合には，…特別の**教育課程**によることができる。

1．**言語障害者**　2．自閉症者　3．**情緒障害者**
4．弱視者　5．難聴者　6．**学習障害者**
7．**注意欠陥多動性障害者**　8．その他障害のある者で，この条の規定により特別の教育課程による教育を行うことが適当なもの

●他校での通級指導

他校での通級指導は，当該学校の授業とみなすことができる。同施行規則第141条による。

□前条の規定により特別の教育課程による場合においては，校長は，児童又は生徒が，当該小学校，中学校，義務教育学校，高等学校又は中等教育学校の設置者の定めるところにより**他の**小学校，中学校，義務教育学校，高等学校，中等教育学校又は**特別支援学校**の小学部若しくは中学部若しくは高等部において受けた授業を，当該小学校，中学校，義務教育学校，高等学校又は中等教育学校において受けた当該**特別の教育課程**に係る授業とみなすことができる。

3 通級による指導の実施形態・指導内容・指導時間

文部科学省「障害に応じた通級による指導の手引 解説とQ&A」(改訂第3版)の記載事項である。

●**実施形態**

□【 自校通級 】…児童生徒が在籍する学校において指導を受ける。

□【 他校通級 】…他の学校に通級し，指導を受ける。

□【 巡回指導 】…通級による指導の担当教師が該当する児童生徒のいる学校に赴き，又は複数の学校を巡回して指導を行う。

●**指導内容**

□障害に応じた特別の指導は，「障害による学習上又は生活上の**困難**を改善し，又は**克服**することを目的とする指導」とされています。これは，特別支援学校の特別な指導領域である**自立活動**の目標とするところであり，通級による指導とは，特別支援学校の**自立活動**に相当する指導とされています❶。

●**指導時間**

発達障害児の場合，授業時数の下限が少なくなっていることに注意。

□小・中学校における障害に応じた特別の指導の授業時数は，年間35単位時間から280単位時間以内範囲で行うことを標準とすることとされています。週当たりに換算すると，1単位時間から8単位時間程度までとなります。

□ただし，学習障害及び注意欠陥多動性障害のある児童生徒については，年間授業時数の上限については他の障害種別と同じにするものの，月1単位時間程度でも指導上の効果が期待できる場合があることから，年間10単位時間(月1単位時間程度)が下限となっています。

4 高等学校における通級による指導の制度化

2016年の学校教育法施行規則改正により，**高等学校**でも通級による指導ができることになった。法改正のエッセンスを掲げる❷。

❶通級による指導においては，特別支援学校の自立活動の内容を参考にする。また，自立活動の個別の指導計画を作成する。

❷文部科学省通知「学校教育法施行規則の一部を改正する省令等の公布について」(2016年12月)による。

□高等学校又は中等教育学校の後期課程において，**言語障害者**，自閉症者，情緒障害者，弱視者，難聴者，**学習障害者**，注意欠陥多動性障害者又はその他障害のある生徒のうち，当該障害に応じた特別の指導を行う必要があるものを教育する場合には，…**特別の教育課程**によることができること。（第140条関係）

□**他校**での通級指導も，当該校での授業とみなすことができる。

□通級による指導の修得単位数は，年間**7**単位を超えない範囲で，卒業に必要な単位数に含めることができる。

5 実態データ

文部科学省「特別支援教育資料（2022年度）」をもとに，特別支援学級や通級による指導の在籍者数をみてみよう。

●特別支援学級の在籍者数（2022年度）

	小学校	中学校	義務教育学校	合計
知的障害	108,802	46,367	1,492	156,661
肢体不自由	3,353	1,134	52	4,539
病弱・身体虚弱	3,181	1,487	38	4,706
弱視	461	172	5	638
難聴	1,364	563	18	1,945
言語障害	1,113	202	16	1,331
自閉症・情緒障害	**132,061**	**49,887**	**1,670**	**183,618**
合計	250,335	99,812	3,291	353,438

●通級による指導の対象者数（2021年度）

	小学校	中学校	高等学校	合計
言語障害	**46,389**	774	12	**47,175**
自閉症	29,306	6,743	**711**	36,760
情緒障害	19,376	4,908	270	24,554
弱視	196	39	4	239
難聴	1,725	362	12	2,099
学習障害	25,927	**7,994**	214	34,135
注意欠陥多動性障害	31,490	6,741	425	38,656
肢体不自由	105	50	4	159
病弱・身体虚弱	45	38	19	102
合計	154,559	27,649	1,671	183,879

テーマ 4

● 特別支援教育の基礎

教科書，学級編制

頻出度 B

ここが出る!
- **特別支援教育では，教科用図書(教科書)の使用に関する特例が認められている。法的根拠も交えて覚えておこう。**
- **特別支援学校や特別支援学級における，1学級当たりの児童生徒数の標準は，どのように規定されているか。**

1 教科用図書の使用義務

原則として，国の検定済み教科書を使用しなければならない。特別支援学校用の教科書も作成されている。

●基本規定

□小学校においては，文部科学大臣の**検定**を経た教科用図書又は文部科学省が**著作**の名義を有する**教科用図書**を使用しなければならない。(学校教育法第34条第1項，特別支援学校にも準用)

●特別支援学校用の教科書

□特別支援学校小・中学部用の教科書としては，①視覚障害者用の**点字**教科書，②聴覚障害者用の**言語指導**や音楽の教科書，③**知的障害者**用の国語，**算数**(**数学**)，**音楽**の教科書がある。

●教科用特定図書

□**国**は，児童及び生徒が障害その他の特性の有無にかかわらず十分な教育を受けることができるよう，**教科用特定図書**等の供給の促進並びに児童及び生徒への**給与**その他教科用特定図書等の普及の促進等のために必要な措置を講じなければならない。(障害のある児童及び生徒のための教科用特定図書等の普及の促進等に関する法律第3条)

□教科用特定図書等とは，視覚障害のある児童及び生徒の学習の用に供するため文字，図形等を**拡大**して検定教科用図書等を複製した図書，**点字**により検定教科用図書等を複製した図書その他障害のある児童及び生徒の学習の用に供するため作成した教材であって**検定教科用図書**等に**代えて**使用し得るものをいう。(同法第2条第1項)

2 特例規定

特別支援学校や特別支援学級では，教科書使用の特例が認められる。

□**特別支援学校**並びに特別支援学級においては，当分の間，第34条1項の規定にかかわらず，文部科学大臣の定めるところにより，第34条1項に規定する教科書**以外**の教育用図書を使用することができる。(学校教育法附則第9条)

□特別支援学校で「**特別の教育課程**による場合において，文部科学大臣の**検定**を経た教科用図書又は**文部科学省**が著作の名義を有する教科用図書を使用することが適当でないときは，当該学校の設置者の定めるところにより，**他の適切な教科用図書**を使用することができる」。(学校教育法施行規則第131条第2項)

□特別の教育課程による**特別支援学級**においては，文部科学大臣の検定を経た教科用図書を使用することが適当でない場合には，…**他の適切な教科用図書**を使用できる。(学校教育法施行規則第139条)

3 特別支援学校の学級編制

学級規模(1学級当たりの児童生徒数)の標準である。標準法❶と特別支援学校設置基準で定められている。

●標準法

□小・中学部は**6**人，高等部は**8**人。

□ただし，障害を2以上併せ有する重複障害者で学級を編制する場合は**3**人。

●特別支援学校設置基準

□幼稚部は**5**人以下，小・中学部は**6**人以下，高等部は**8**人以下。

□重複障害の幼児児童生徒で編制する学級の場合は，いずれの段階も**3**人以下。

4 特別支援学級の学級規模の標準

通常の小・中学校におかれる**特別支援学級**についてはどうか。

□特別支援学級の1学級の児童又は生徒の数は，…**15**人以下を標準とする。(学校教育法施行規則第136条)

□公立義務教育諸学校の学級編制及び教職員定数の標準に関する法律第3条では，**8**人が基準とされている(第3条第2項)。

❶公立義務教育諸学校の学級編制及び教職員定数の標準に関する法律第3条第3項，公立高等学校の適正配置及び教職員定数の標準等に関する法律第14条による。

テーマ 5

● 特別支援教育の基礎

特別支援教育の対象

ここが出る! ▶▶

- **特別支援学校，特別支援学級，および通級による指導の対象となる障害の種別は，どのようなものか。**
- **特別支援学校の対象となる障害の程度はどのように定められているか。学校教育法施行令第22条の 3 の表はよく出題される。**

1 特別支援教育の対象の概念図

幼稚園から高等学校までの段階について，特別支援教育の対象と量的規模を図解すると，以下のようになる❶。

重 ↑

特別支援学校

視覚障害(2,130人)，聴覚障害(4,584人)，
知的障害(86,431人)，肢体不自由(9,175人)
病弱(1,897人)，重複障害(44,418人)
合計　148,635人〈1.04%〉…A

小学校・中学校・高等学校

①特別支援学級

知的障害(156,661人)，肢体不自由(4,539人)
病弱・身体虚弱(4,706人)，弱視(638人)，難聴(1,945人)
言語障害(1,331人)，自閉症・情緒障害(183,618人)
合計　353,438人〈2.47%〉…B

障害の程度

②通常の学級

通級による指導
言語障害(47,175人)，自閉症(36,760人)
情緒障害(24,554人)，弱視(239人)，難聴(2,099人)
学習障害(34,135人)，注意欠陥多動性障害(38,656人)
肢体不自由(159人)，病弱・身体虚弱(102人)
合計　183,879人〈1.27%〉…C

↓ 軽

❶2022年度のデータ(通級による指導は2021年度)。〈　〉内の数字は，当該年度の全幼児児童生徒数(幼稚園～高等学校)に占める比率を指す。

2 特別支援学校の対象となる障害の程度

特別支援学校の対象となる障害の程度については，**学校教育法施行令**第22条の３にて定められている。

区分	障害の程度
視覚障害者	両眼の視力がおおむね**0.3**未満のもの又は視力以外の視機能障害が高度のもののうち，**拡大鏡**等の使用によっても通常の**文字**，図形等の視覚による認識が不可能又は著しく困難な程度のもの
聴覚障害者	両耳の聴力レベルがおおむね**60**デシベル以上のもののうち，**補聴器**等の使用によっても通常の話声を解することが不可能又は著しく困難な程度のもの
知的障害者	①知的発達の**遅滞**があり，他人との**意思疎通**が困難で日常生活を営むのに頻繁に援助を必要とする程度のもの ②知的発達の遅滞の程度が前号に掲げる程度に達しないもののうち，社会生活への**適応**が著しく困難なもの
肢体不自由者	①肢体不自由の状態が**補装具**の使用によっても**歩行**，筆記等日常生活における基本的な動作が不可能又は困難な程度のもの ②肢体不自由の状態が前号に掲げる程度に達しないもののうち，常時の**医学的観察指導**を必要とする程度のもの
病弱者	①**慢性**の呼吸器疾患，腎臓疾患及び神経疾患，**悪性新生物**その他の疾患の状態が継続して**医療**又は生活規制を必要とする程度のもの ②身体虚弱の状態が継続して**生活規制**を必要とする程度のもの

□肢体不自由者の「補装具」とは，身体の欠損又は身体の**機能**の損傷を補い，日常生活又は学校生活を**容易**にするために必要な用具をいう。具体的な例としては，**義肢**（義手，義足），装具（上肢装具，**体幹装具**，下肢装具），**座位保持装置**，車いす（**電動車いす**，車いす），歩行器，頭部保護帽，**歩行補助つえ**等が考えられる。

3 特別支援学級の対象となる障害の程度

次に，特別支援学級の対象となる障害の程度である❷。

●**知的障害者**

□知的発達の**遅滞**があり，他人との**意思疎通**に軽度の困難があり日常生活を営むのに一部援助が必要で，社会生活への**適応**が困難である程度のもの。

●**肢体不自由者**

□補装具によっても**歩行**や筆記等**日常生活**における基本的な動作に軽度の困難がある程度のもの。

●**病弱者及び身体虚弱者**

□慢性の**呼吸器疾患**その他疾患の状態が持続的又は間欠的に**医療**又は生活の管理を必要とする程度のもの。

□身体虚弱の状態が**持続的**に生活の管理を必要とする程度のもの。

●**弱視者**

□**拡大鏡**等の使用によっても通常の文字，図形等の視覚による認識が困難な程度のもの。

●**難聴者**

□**補聴器**等の使用によっても通常の話声を解することが困難な程度のもの。

●**言語障害者**

□**口蓋裂**，構音器官のまひ等器質的又は機能的な**構音障害**のある者，吃音等話し言葉におけるリズムの障害のある者，話す，聞く等言語機能の基礎的事項に発達の**遅れ**がある者，その他これに準じる者で，その程度が著しいもの。

●**自閉症・情緒障害者**

□自閉症又はそれに類するもので，他人との意思疎通及び**対人関係**の形成が困難である程度のもの。

□主として心理的な要因による**選択性かん黙**等があるもので，社会生活への適応が困難である程度のもの。

❷文部科学省「障害のある児童生徒等に対する早期からの一貫した支援について」（2013年10月）を参照。

4 通級の指導の対象となる障害の程度

「通常の学級での学習におおむね参加でき，一部特別な指導を必要とする程度のもの」である。脚注❷の資料を参照。

● **言語障害者**

□口蓋裂，**構音器官**のまひ等器質的又は機能的な構音障害のある者，**吃音**等話し言葉における**リズム**の障害のある者，話す，聞く等言語機能の基礎的事項に発達の遅れがある者，その他これに準じる者で，通常の学級での学習におおむね参加でき，一部**特別な指導**を必要とする程度のもの。

● **自閉症者**

□自閉症又はそれに類するもので，**通常**の学級での学習におおむね参加でき，一部特別な指導を必要とする程度のもの。

● **情緒障害者**

□主として**心理的**な要因による選択性かん黙等があるもので，通常の学級での学習におおむね参加でき，一部特別な指導を必要とする程度のもの。

● **弱視者**

□**拡大鏡**等の使用によっても通常の文字，**図形**等の視覚による認識が困難な程度の者で，通常の学級での学習におおむね参加でき，一部特別な指導を必要とするもの。

● **難聴者**

□補聴器等の使用によっても通常の**話声**を解することが困難な程度の者で，通常の学級での学習におおむね参加でき，一部特別な指導を必要とするもの。

● **学習障害者**

□全般的な**知的発達**に遅れはないが，聞く，話す，読む，書く，**計算**する又は推論する能力のうち特定のものの習得と使用に著しい困難を示すもので，一部特別な指導を必要とする程度のもの。

● **注意欠陥多動性障害者**

□年齢又は発達に不釣り合いな注意力，又は**衝動性**･多動性が認められ，社会的な活動や学業の機能に支障をきたすもので，一部特別な指導を必要とする程度のもの。

※肢体不自由者，病弱者及び身体虚弱者は省略。

テーマ 6 ● 特別支援教育の基礎

就学のプロセス

ここが出る! ▶▶

- **障害のある幼児児童生徒の就学先は，どのようにして決定されるか。また，その際，どのようなことに配慮することとされているか。**
- **就学指導のプロセスの図の空欄補充問題がよく出る。やや細かいが，全体の流れを把握すること。**

1 就学制度

障害のある幼児児童生徒の就学先について，法規上，どのように定められているか。

□市町村の教育委員会は，就学予定者のうち，認定特別支援学校就学者**以外**の者について，その保護者に対し，翌学年の初めから2月前までに，小学校，中学校又は義務教育学校の入学期日を通知しなければならない。（学校教育法施行令第5条）

□市町村の教育委員会は，…**認定特別支援学校就学者**について，都道府県の教育委員会に対し，翌学年の初めから3月前までに，その氏名及び特別支援学校に就学させるべき旨を通知しなければならない。（同第11条第1項）

□**認定特別支援学校就学者**とは，学校教育法施行令第22条の3❶が規定する程度に該当する障害のある者のうち，特別支援学校に就学させることが適当であると認められる者をいう。

2 就学先の決定

障害のある幼児児童生徒の就学先の決定に際しては，専門家や保護者を交えた，慎重な検討が行われる。

●就学指導

□【　就学指導　】…市町村の教育委員会が，障害のある就学予定者の就学先を決定すること。

□**市町村教育委員会**は，障害のある児童生徒の就学先決定に当たり，障害の状態，本人の教育的ニーズ，本人・保護者の意見❷，教育学，医

❶21ページを参照のこと。
❷保護者の意見聴取は，学校教育法施行令で定められている（第18条の2）。

学，**心理学**等専門的見地からの意見，学校や地域の状況等を踏まえた**総合的**な観点から，就学先の判断を行う。（文部科学省「教育支援資料」2013年）

● **就学先等の見直し**

□就学時に決定した「学びの場」は，**固定**したものではなく，それぞれの児童生徒の発達の程度，適応の状況等を勘案しながら，柔軟に**転学**ができることを，すべての関係者の**共通理解**とすることが適当であること。

□このためには，**個別の教育支援計画**❷等に基づく関係者による会議等を定期的に実施し，必要に応じて個別の教育支援計画等を見直し，就学先等を**変更**できるようにしていくことが適当であること。

3 図解

以上の内容をまとめてみよう。文部科学省「障害のある子供の教育支援の手引」（2021年）に掲載されている図である。

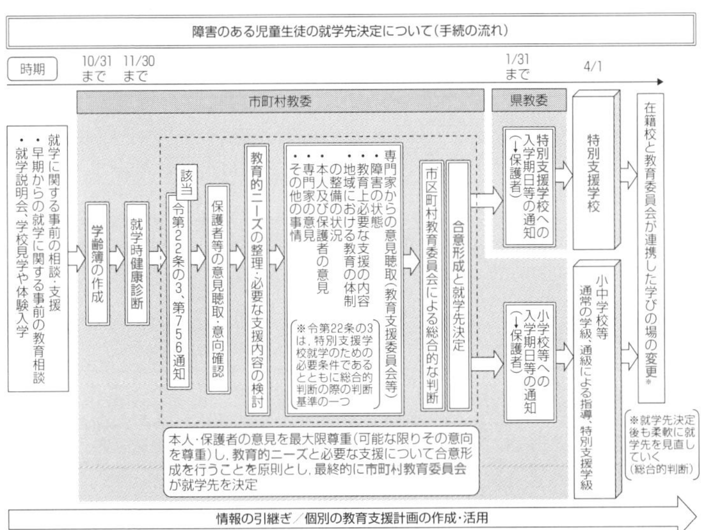

□【 **学齢簿** 】…義務教育諸学校での適正な就学を図るため，市町村教育委員会が作成を義務づけられている表簿。

❷28ページを参照のこと。

テーマ 7

● 特別支援教育の基礎

特別支援教育の教育課程

ここが出る!

- 特別支援学校の教育課程の大枠は，どのようなものか。自立活動という独自の領域があることがポイント。また，知的障害者に適用される教育課程も独自のものなので，要注意である。
- 各教科等の内容を合わせた指導も認められる。

1 視覚障害者，聴覚障害者，肢体不自由者又は病弱者の教育を行う特別支援学校

学校教育法施行規則による❶。

●教育課程の領域

小学部	①小学校の各教科，②特別の教科である**道徳**，③**外国語活動**，④総合的な学習の時間，⑤特別活動，⑥**自立活動**
中学部	①中学校の各教科，②特別の教科である**道徳**，③総合的な学習の時間，④特別活動，⑤**自立活動**
高等部	①高等学校の各教科・科目，②**総合的な探究の時間**，③特別活動，④**自立活動**

□特別支援学校独自の領域として，**自立活動**というものがある。

●小・中学部の各教科の中身

小・中学校と同じである。

小学部	国語，**社会**，算数，理科，**生活**，音楽，**図画工作**，家庭，**体育**，及び外国語
中学部	国語，社会，**数学**，理科，音楽，**美術**，保健体育，技術・家庭，及び**外国語**

●高等部の各教科の中身

普通教育に関する各教科	国語，**地理歴史**，公民，数学，理科，**保健体育**，芸術，外国語，家庭，情報，及び**理数**
専門教育に関する各教科	農業，**工業**，商業，水産，家庭，看護，情報，**福祉**，理数，体育，音楽，美術，及び英語

□視覚障害者の教育を行う専門学科では**保健理療**，理療，理学療法も開

❶小学部は第126条，中学部は第127条，高等部は第128条による。

設される。聴覚障害者の教育を行う専門学科では，印刷，理容·美容，クリーニング，歯科技工も開設される。

2 知的障害者の教育を行う特別支援学校

知的障害者を対象とする特別支援学校の場合，教育課程はやや異なる。各教科の中身は独自のものとなっている。

●**各教科の中身**

小学部	①各教科(**生活**，国語，算数，音楽，**図画工作**，体育)，②特別の教科である道徳，③特別活動，④**自立活動**
中学部	①各教科❷(国語，社会，数学，理科，音楽，美術，保健体育，**職業・家庭**)，②特別の教科である道徳，③総合的な学習の時間，④特別活動，⑤**自立活動**
高等部	①共通教科(国語，社会，数学，理科，音楽，美術，保健体育，**職業**，家庭，外国語，情報❸)，②専門教科❹(家政，農業，工業，流通・サービス，**福祉**，学校設定教科)，③**特別の教科である道徳**，④総合的な探究の時間，⑤特別活動，⑥**自立活動**

□知的障害者を対象とする小学部では，必要な場合，**外国語活動**を加えることができる。

□知的障害者を対象とする中学部では，必要な場合，その他特に必要な教科を**選択教科**として設けることができる。

●**特例事項**

複数の教科(領域)を合わせた合科指導も認められる(テーマ21)。

□特別支援学校の小学部，中学部又は高等部においては，**知的障害者**である児童若しくは生徒又は**複数**の種類の障害を併せ有する児童若しくは生徒を教育する場合において特に必要があるときは，**各教科**，特別の教科である道徳，外国語活動，特別活動及び**自立活動**の全部又は一部について，**合わせて**授業を行うことができる。(学校教育法施行規則第130条第２項)

❷必要がある場合，外国語科を加えることができる。
❸外国語と情報は，学校や生徒の実態を考慮して，必要に応じて設ける。
❹専門学科のみ。いずれか１以上履修することとされる。

テーマ **8**

● 特別支援教育の基礎

個別の指導計画・教育支援計画

ここが出る! ▶▶

- 障害のある子どもを指導するに際しては，個別の指導計画を作成する。学校外の諸機関との連携も見据えた，個別の教育支援計画も作成する，両者の概念の区別をつけよう。
- 通常学校でも, 2 つの計画を作成・活用する。

1 個別の指導計画

障害のある子どもを指導するに当たって，学校では**個別の指導計画**を作成することとされる。

□【 個別の指導計画 】…幼児児童生徒一人一人の障害の状態等に応じたきめ細かな指導が行えるよう，学校における教育課程や指導計画，当該幼児児童生徒の個別の教育支援計画等を踏まえて，より具体的に幼児児童生徒一人一人の教育的ニーズに対応して，指導目標や指導内容・方法等を盛り込んだ指導計画❶。

2 個別の教育支援計画

学校外の諸機関との連携を見据えた，長期的な計画である❷。ヨコとタテの広がりを持っている。

●個別の教育支援計画の考え方

□個別の教育支援計画は，障害のある児童生徒等一人一人に必要とされる**教育的ニーズ**を正確に把握し，**長期的**な視点で幼児期から学校卒業後までを通じて，**一貫**した的確な支援を行うことを目的に作成するものであること。

□作成に当たっては，**保護者**と十分相談し，支援に関する本人及び保護者の意向や将来の希望，現在の障害の状態やこれまでの経過，**関係機関**等における支援の状況，その他支援内容を検討する上で把握することが適切な情報等を詳細かつ正確に把握し，整理して記載すること。その際，学校と保護者や関係機関等とが一層**連携**を深め，**切れ目**ない

❶文部科学省「特別支援教育体制整備状況調査」(2017年度)の定義による。

❷文部科学省「学校教育法施行規則の一部を改正する省令の施行について」(2018年 8 月)を参照。

支援を行うため，本人や保護者の意向を踏まえつつ，関係機関等と当該児童生徒等の支援に関する必要な**情報**の共有を図ること。

□学校と**保護者**との間で当該児童生徒等に対する支援の考え方を共有するため，作成した個別の教育支援計画については，**保護者**に共有することが望ましいこと。

□各学校においては，個別の教育支援計画について，本人や保護者の同意を得た上で，**進学先**等に適切に引き継ぐよう努めること。

●校長の義務（学校教育法施行規則第134条）

□校長は，特別支援学校に在学する児童等について**個別の教育支援計画**を作成しなければならない。

□校長は，前項の規定により個別の教育支援計画を作成するに当たつては，当該児童等又はその**保護者**の意向を踏まえつつ，あらかじめ，関係機関等と当該児童等の支援に関する必要な情報の**共有**を図らなければならない。

3 個別の教育支援計画の作成

●留意点

□個別の教育支援計画の作成に際しては，**保護者**の参画も促す。

□子供一人一人に必要な教育上の**合理的配慮**の提供についても合意形成を図り，市区町村教育委員会は，そのことを個別の教育支援計画に記載した上で就学先に**引き継ぐ**。

●手順

□①障害のある児童生徒の**実態**把握，②実態に即した**指導目標**の設定，③具体的な教育的支援内容の明確化，④**評価**，という手順を踏む。

4 個別の指導計画，個別の教育支援計画の対象

通常の学校でも２つの計画を作成し，活用する。

		個別の指導計画	個別の教育支援計画
特別支援学校の在籍者		作成，活用する	
通常学校	特別支援学級の在籍者		
	通級による指導の対象者		
	その他障害のある児童生徒	作成，活用に**努める**	

テーマ 9

● 特別支援教育の基礎

障害児教育の歴史(年表)

ここが出る! ▶▶

- **障害児教育の現在を正しく理解するには，歴史を知っておくことが重要である。障害児教育の先駆けとなった施設(実践)や政策に関する知識を得ておこう。**
- **重要事項の並び替えの問題もまれに出る。対応できるようにしよう。**

1 概括年表

◎は重要事項である。

西暦	和暦	事項
1872	明治 5	**学制**公布。障害児のための学校(**廃人学校**)について初めて規定。
1878	明治11	◎古河太四郎らが京都に**盲唖院**を創設。近代盲・聾教育の開始。
1880	明治13	東京に**楽善会訓盲院**が設けられる。
1890	明治23	第 2 次小学校令によって，**盲唖学校**の設置と廃止について規定される。
1891	明治24	文部省令によって，**盲唖学校**が制度上明確化される。
同	同	◎石井亮一が**滝乃川学園**を創設。知的障害児教育の始まり。
1917	大正 6	結核予防団体白十字会が，**白十字会林間学校**を創設。身体虚弱児に，尋常小学校に準ずる教育を行う。
1920	大正 9	**日本聾話学校**(私立)が設置される。以後，口話法が普及。
1921	大正10	柏倉松蔵が**柏学園**を創設。肢体不自由児を対象とした初の教育施設。
1923	大正12	◎**盲学校及聾唖学校令**が制定される。 盲学校と**聾唖学校**の制度的分離 盲・聾唖学校を小・中学校と同様に位置づける。 道府県に，盲・聾唖学校の**設置義務**を課す。 聾・盲唖学校の運営費用は**道府県**が負担。
1926	大正15	東京聾唖学校に**難聴学級**が置かれる。
同	同	東京市深川区八名川小学校に**吃音学級**が置かれる。
1932	昭和 7	**東京市立光明学校**が創設される。独立の学校による肢体不自由児教育の始まり。

1933	昭和 8	東京市麻布区南山尋常小学校に**弱視学級**が置かれる。
1940	昭和15	**大阪市立思斉学校**が創設される。知的障害児教育のための初の独立した学校。
1941	昭和16	◎**国民学校令**公布。「国民学校では身体虚弱，精神薄弱，その他心身に異常ある児童で特別**養護**の必要あると認められる者のために，特に学級または学校を編制できる」❶と規定。
1947	昭和22	◎教育基本法，学校教育法公布。**盲・聾・養護学校**の制度が誕生❷。
1948	昭和23	聾・盲学校の**義務制**実施。
1979	昭和54	◎**養護学校**の義務制実施。
1993	平成 5	◎**通級による指導**がスタート。**障害者基本法**が制定される。
1999	平成11	盲・聾・養護学校の養護・訓練が**自立活動**となる。
2007	平成19	盲・聾・養護学校が**特別支援学校**となる。特別支援教育制度を施行。
2012	平成24	共生社会の形成に向けた**インクルーシブ**教育システム構築のための特別支援教育の推進(報告)。

2 就学免除・猶予者数の推移

1979年になって急減している。この背景は？

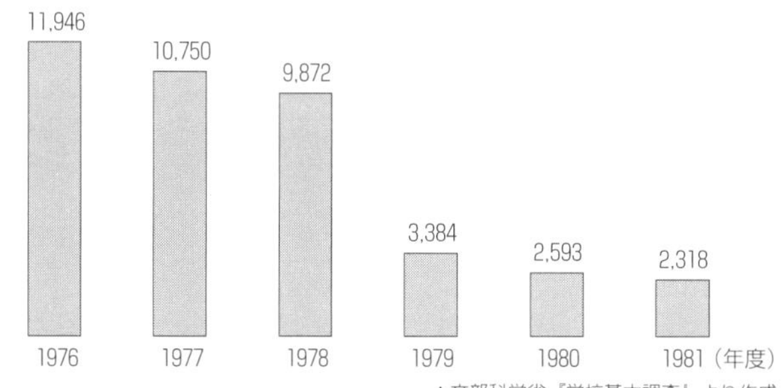

＊文部科学省『学校基本調査』より作成

□1979年に**養護学校**の義務制が実施された。

□これに伴い，就学免除・猶予の対象者が大幅に減少した。重度の知的障害，肢体不自由児等にも教育の機会が開かれるようになった。

❶文部省『学制百年史』より引用。文中の「学級または学校」(下線部)は，養護学級または養護学校と称されることになった。

❷ただし，養護学校は，学校教育法施行当時は存在しなかった。

テーマ10 ● 特別支援教育の基礎

障害児教育の歴史(人物)

頻出度 B

ここが出る!

- 障害児教育の歴史上，著名な人物について押さえよう。人物とその説明文を結びつけさせる問題がよく出る。
- グッドイナフ＝人物画知能検査，というように最も重要なキーワードを知っておこう。

1 外国

以下の諸人物について知っておこう。配列は生年順。

●年表

人物	国籍	キーワード
ド・レペ	フランス	手話による聾唖教育を提唱
ハイニッケ	ドイツ	口話法提唱，国立聾学校開設
アユイ	フランス	世界初の盲学校開設
クルツ	ドイツ	世界初の肢体不自由児学校開設
ルイ・ブライユ	フランス	6点式点字を考案
セガン	フランス	知的障害児教育の先駆者，セガン法
クヌーゼン	デンマーク	肢体不自由児施設クリュッペルハイムを開設
グッゲンビュール	スイス	クレチン病性遅滞児の研究
ゴダード	アメリカ	知的障害と遺伝の関連の研究
モンテッソーリ	イタリア	子どもの家，モンテッソーリ法
ドクロリー	ベルギー	生活による生活のための学校
ゲゼル	アメリカ	成熟優位説，双生児法
レオ・カナー	オーストリア	早期幼児自閉症の症例報告
グッドイナフ	アメリカ	人物画による知能検査
ヴィゴツキー	旧ソ連	発達の最近接領域，『思考と言語』
ウェクスラー	ルーマニア	ウェクスラー式知能検査WISC等
ピアジェ	スイス	認知の発達段階説
ルリヤ	ロシア	神経心理学的脳局部損傷診断法
ロジャーズ	アメリカ	来談者中心療法
カーク	アメリカ	LD(学習障害)という語を創案

スキナー	アメリカ	スキナー箱，オペラント条件づけ
アスペルガー	オーストリア	**アスペルガー症候群**
ボバース夫妻	イギリス	**脳性まひ児**の治療法開発
フロスティッグ	オーストリア	視知覚検査法，ムーブメント教育
ブルーナー	アメリカ	発見学習，『教育の過程』
エアーズ	アメリカ	発達障害児対象の**感覚統合法**
ショプラー	ドイツ	TEACCHプログラム
ウィング	イギリス	自閉症スペクトラム

●世界初の障害児教育の学校

	設立年	場所	設立者
聾学校	1755年	パリ	ド・レペ
盲学校	1784年	パリ	**アユイ**
肢体不自由児学校	1833年	ミュンヘン	**クルツ**

2 日本

人物	生没年	キーワード
山尾庸三	1837～1917	楽善会訓盲院
古河太四郎	1845～1907	**京都盲唖院**
伊沢修二	1851～1917	楽石社(吃音矯正機関)
石川倉次	1859～1944	日本訓盲点字
石井亮一	1867～1937	**滝乃川学園**(日本初の知的障害児施設)
脇田良吉	1875～1948	知的障害児施設の**白川学園**を創設
鈴木治太郎	1875～1966	大阪市立思斉学校，ビネー式知能検査翻案
川田貞治郎	1879～1959	藤倉学園(知的障害者支援施設)
柏倉松蔵	1882～1964	**柏学園**(日本初の肢体不自由児施設)
高木憲次	1888～1963	東京整肢療護園，肢体不自由という語を創案
近藤益雄	1907～1964	のぎく寮(知的障害児施設)
田村一二	1909～1995	一麦寮(知的障害児施設)
三木安正	1911～1984	**旭出学園**(知的障害児施設)
糸賀一雄	1914～1968	**近江学園**(知的障害児施設)
岡崎英彦	1922～1987	びわこ園(重度心身障害児施設)
成瀬悟策	1924～2019	**臨床動作法**
近藤原理	1931～2017	なずな寮

試験直前ファイナルチェック

●Answer●

□1　特別支援学校は，従来の盲学校，聾学校，および養護学校が一本化されてできたものである。 →P.10

1　○
教員免許状も一本化された。

□2　2006年に学校教育法が抜本改正され，障害のある者に対する教育上の支援について規定された。 →P.11

2　×
学校教育法ではなく，教育基本法である。

□3　市町村は，その区域内の視覚障害者等を就学させるのに必要な特別支援学校を設置する義務を負う。 →P.13

3　×
市町村ではなく，都道府県である。

□4　学級編制の標準法によると，特別支援学校高等部の１学級当たりの生徒数の標準は，10人である。 →P.19

4　×
10人ではなく，８人である。

□5　特別支援学校の対象となる聴覚障害の程度は，「両耳の聴覚レベルがおおむね60デシベル以上」とされる。 →P.21

5　○
学校教育法施行令第22条の３を参照。

□6　市町村の教育委員会は，障害のある就学予定者の就学先を決める就学指導に際しては，当人や保護者の意見を聴取する必要はない。 →P.24

6　×

□7　知的障害者を教育する特別支援学校小学部の教育課程では，必要な場合，外国語活動を設けることができる。 →P.27

7　○

□8　個別の指導計画は，外部との連携も視野に入れ，乳幼児期から学校卒業後までの長期的な視点に立って作成する。 →P.28

8　×
個別の教育支援計画である。

□9　1878年，東京に盲唖院が創設され，近代盲・聾教育が開始された。 →P.30

9　×
東京ではなく京都。

□10　1921年，肢体不自由児を対象とした初の教育施設の柏学園が創設された。 →P.30

10　○

□11　1755年，パリに世界初の聾学校を創設したのはクルツである。 →P.33

11　×
ド・レペである。

特別支援学校

テーマ 11 ● 特別支援学校

教育の基本と教育課程の役割

ここが出る！

- **特別支援学校小学部・中学部の新学習指導要領が公示された。総則の初めの部分の空欄補充問題が予想される。**
- **小・中学校のものと似通っているが，特別支援学校に固有なターム(障害，自立，社会参加など)もある。しっかり覚えよう。**

1 教育の基本

特別支援学校小学部・中学部新学習指導要領総則の第２節である。

●基本事項

□各学校においては，教育基本法及び**学校教育法**その他の法令並びにこの章以下に示すところに従い，児童又は生徒の人間として**調和**のとれた育成を目指し，児童又は生徒の**障害**の状態や特性及び心身の発達の段階等並びに学校や地域の実態を十分考慮して，適切な**教育課程**を編成するものとし，これらに掲げる目標を達成するよう教育を行うものとする。

●実現すべき事項

□基礎的・基本的な知識及び**技能**を確実に習得させ，これらを活用して課題を解決するために必要な**思考力**，判断力，表現力等を育むとともに，主体的に学習に取り組む態度を養い，**個性**を生かし多様な人々との協働を促す教育の充実に努めること。

□学校における道徳教育は，**特別の教科である道徳**を要として学校の教育活動**全体**を通じて行うものであり，道徳科はもとより，各教科，外国語活動，総合的な学習の時間，特別活動及び**自立活動**のそれぞれの特質に応じて，児童又は生徒の発達の段階を考慮して，適切な指導を行うこと。

□学校における自立活動の指導は，**障害**による学習上又は生活上の困難を改善・克服し，**自立**し社会参加する資質を養うため，自立活動の時間はもとより，学校の**教育活動全体**を通じて適切に行うものとする。

□特に，自立活動の時間における指導は，**各教科**，道徳科，外国語活動，総合的な学習の時間及び特別活動と密接な**関連**を保ち，個々の児童又は生徒の障害の状態や特性及び心身の発達の段階等を的確に把握して，適切な**指導計画**の下に行うよう配慮すること。

●**実現すべき資質・能力**

□知識及び**技能**が習得されるようにすること。

□思考力，判断力，**表現力**等を育成すること。

□学びに向かう力，**人間性**等を涵養すること。

●**カリキュラム・マネジメント**

□各学校においては，児童又は生徒や学校，**地域**の実態を適切に把握し，教育の目的や目標の実現に必要な教育の内容等を**教科等横断的**な視点で組み立てていくこと，教育課程の実施状況を**評価**してその改善を図っていくこと，教育課程の実施に必要な人的又は物的な体制を確保するとともにその改善を図っていくことなどを通して，教育課程に基づき組織的かつ計画的に各学校の教育活動の質の向上を図っていくこと(**カリキュラム・マネジメント**)に努めるものとする。

2 教育課程の編成

新学習指導要領総則の第３節の１と２である。情報化社会では，情報モラル教育も重要となる。

●**基礎事項**

□**教育課程**の編成に当たっては，学校教育全体や各教科等における指導を通して育成を目指す資質・能力を踏まえつつ，各学校の**教育目標**を明確にするとともに，教育課程の編成についての基本的な方針が家庭や地域とも**共有**されるよう努めるものとする。

●**教科等横断的な視点に立った資質・能力の育成**

□各学校においては，児童又は生徒の**障害**の状態や特性及び心身の発達の段階等を考慮し，**言語能力**，情報活用能力(**情報モラル**を含む)，問題発見・**解決能力**等の学習の基盤となる資質・能力を育成していくことができるよう，各教科等の特質を生かし，**教科等横断**的な視点から教育課程の編成を図るものとする。

□各学校においては，児童又は生徒や学校，**地域**の実態並びに児童又は生徒の障害の状態や特性及び心身の**発達**の段階等を考慮し，豊かな人生の実現や**災害**等を乗り越えて次代の社会を形成することに向けた現代的な諸課題に対応して求められる資質・能力を，**教科等横断**的な視点で育成していくことができるよう，各学校の特色を生かした**教育課程**の編成を図るものとする。

テーマ 12 ● 特別支援学校

内容等の取扱い

頻出度 B

ここが出る! ▶▶

- **特別支援学校中学部では，選択教科を開設できる。小学部の外国語活動，中学部の外国語科は，必要に応じて設けることに注意。**
- **知的障害児の教育を行う特別支援学校高等部において，履修させる教科は何か。また，授業時数はどのようにして決めるか。**

1 小・中学部における内容等の取扱い

特別支援学校小学部・中学部新学習指導要領総則の第３節の３（１）である。テーマ７でみた，教育課程の中身も思い出そう。

□各教科，道徳科，外国語活動，特別活動及び**自立活動**の内容並びに各学年，各段階，各分野又は各言語の内容に掲げる事項の順序は，特に示す場合を除き，指導の**順序**を示すものではないので，学校においては，その取扱いについて適切な**工夫**を加えるものとする。

□知的障害者である児童に対する教育を行う特別支援学校の小学部においては，**生活**，国語，算数，**音楽**，図画工作及び体育の各教科，道徳科，特別活動並びに**自立活動**については，特に示す場合を除き，全ての児童に履修させるものとする。また，**外国語活動**については，児童や学校の実態を考慮し，必要に応じて設けることができる。

□知的障害者である生徒に対する教育を行う特別支援学校の中学部においては，国語，社会，**数学**，理科，音楽，**美術**，保健体育及び職業・家庭の各教科，**道徳科**，総合的な学習の時間，特別活動並びに**自立活動**については，特に示す場合を除き，全ての生徒に履修させるものとする。また，**外国語科**については，生徒や学校の実態を考慮し，必要に応じて設けることができる。

□知的障害者である児童又は生徒に対する教育を行う特別支援学校において，各教科の指導に当たっては，各教科の**段階**に示す内容を基に，児童又は生徒の**知的障害**の状態や経験等に応じて，具体的に**指導内容**を設定するものとする。その際，小学部は**6**年間，中学部は**3**年間を見通して計画的に指導するものとする。

□知的障害者である生徒に対する教育を行う特別支援学校の中学部にお

いては，生徒や学校，地域の実態を考慮して，特に必要がある場合には，その他特に必要な教科を**選択教科**として設けることができる。

2 高等部における各教科等の履修

高等部在籍者の大半を占める**知的障害者**の教育を行う高等部における，各教科等の履修に関する規定事項をみてみよう❶。

●卒業までに履修させる各教科等

□各学校においては，卒業までに履修させる**各教科**及びその授業時数，**道徳科**及び総合的な探究の時間の授業時数，特別活動及びその授業時数並びに**自立活動**の授業時数に関する事項を定めるものとする。

●各学科に共通する各教科等

□国語，社会，**数学**，理科，音楽，美術，保健体育，**職業**及び家庭の各教科，**道徳科**❷，総合的な探究の時間，特別活動並びに**自立活動**については，特に示す場合を除き，全ての生徒に履修させるものとする。

□**外国語**及び**情報**の各教科については，学校や生徒の実態を考慮し，必要に応じて設けることができる。

●主として専門学科において開設される各教科

□専門学科においては，…家政，**農業**，工業，流通・サービス若しくは**福祉**の各教科又は…**学校設定教科**のうち専門教育に関するもののうち，**いずれか1以上**履修させるものとする。

□**専門教科**の履修によって，全ての生徒に履修させる各教科の履修に替えることができる。

●学校設定教科

□生徒や学校，地域の実態及び学科の特色等に応じ，特色ある教育課程の編成に資するよう，(学習指導要領で定める)教科以外の教科(**学校設定教科**)を設けることができる。

❶視覚障害者，聴覚障害者，肢体不自由者又は病弱者の教育を行う高等部における，各教科・科目の履修に関する規定事項は，通常の高等学校とほぼ同じである。

❷高等部では，知的障害者のみ道徳科を履習する。

テーマ 13 ● 特別支援学校

授業時数等の取扱い

頻出度 B

ここが出る！

- 特別支援学校では，授業時数や授業週数は，どのようにして定めることとされているか。
- 35，1050，875など，重要な数字が散見される。数字の空欄補充問題も多いので覚えておこう。

1 小・中学部における授業時数等の取扱い

特別支援学校小学部・中学部新学習指導要領総則の第3節の3（2）である。重要事項を抜粋しよう。

●原文

□各教科，道徳科，**外国語活動**，総合的な学習の時間，特別活動及び自立活動の総授業時数は，**小学校**又は**中学校**の各学年における総授業時数に準ずるものとする。この場合，各教科等の目標及び内容を考慮し，それぞれの年間の**授業時数**を適切に定めるものとする。

□各教科等の授業は，年間35週（小学部第1学年については34週）以上にわたって行うよう計画し，週当たりの授業時数が児童又は生徒の**負担過重**にならないようにするものとする。ただし，各教科等や学習活動の特質に応じ効果的な場合には，夏季，冬季，学年末等の**休業日**の期間に授業日を設定する場合を含め，これらの授業を**特定**の期間に行うことができる。

□総合的な学習の時間に充てる授業時数は，視覚障害者，聴覚障害者，肢体不自由者又は病弱者である児童又は生徒に対する教育を行う特別支援学校については，小学部第3学年以上及び**中学部**の各学年において，**知的障害者**である生徒に対する教育を行う特別支援学校については，中学部の各学年において，それぞれ適切に定めるものとする。

□特別活動の授業のうち，小学部の**児童会活動**，クラブ活動及び学校行事並びに中学部の生徒会活動及び**学校行事**については，それらの内容に応じ，年間，**学期**ごと，月ごとなどに適切な**授業時数**を充てるものとする。

□**自立活動**の時間に充てる授業時数は，児童又は生徒の障害の状態や特性及び心身の発達の段階等に応じて，適切に定めるものとする。

□各教科等のそれぞれの授業の１**単位時間**は，各学校において，各教科等の年間授業時数を確保しつつ，児童又は生徒の障害の状態や特性及び心身の発達の段階等並びに各教科等や学習活動の特質を考慮して適切に定めること（小学部の標準は**45**分，中学部は**50**分）。

□各教科等の特質に応じ，10分から**15**分程度の短い時間を活用して特定の教科等の指導を行う場合において，当該教科等を担当する教師が，**単元**や題材など内容や時間のまとまりを見通した中で，その指導内容の決定や指導の成果の把握と活用等を責任をもって行う体制が整備されているときは，その時間を当該教科等の**年間授業時数**に含めることができること。

□総合的な学習の時間における学習活動により，特別活動の**学校行事**に掲げる各行事の実施と同様の成果が期待できる場合においては，総合的な学習の時間における学習活動をもって相当する特別活動の**学校行事**に掲げる各行事の実施に替えることができる。

●小・中学校の年間標準授業時数

□特別支援学校小・中学部の年間総授業時数は，**小・中学校**の年間総授業時数の標準（下表）を参考にして決められるべきものである。

	１年	２年	３年	４年	５年	６年
小学校	850	910	980	1015	1015	1015
中学校	1015	1015	1015			

2 高等部における授業時数等の取扱い

知的障害者の教育を行う高等部について，重要箇所をみておこう。

□各教科，道徳科，総合的な探究の時間，特別活動及び自立活動の総授業時数は，各学年とも**1,050**単位時間を標準とする。

□各教科，道徳科，ホームルーム活動及び自立活動の授業は，年間**35**週行うことを標準とする。

□専門学科においては，専門教科について，全ての生徒に履修させる授業時数は，**875**単位時間を下らないものとする。

□ホームルーム活動の授業時数については，原則として，年間**35**単位時間以上とするものとする。

テーマ 14

● 特別支援学校

指導計画の作成等に当たっての配慮事項

ここが出る! ▶▶

- 特別支援学校における指導計画作成に当たっての配慮事項を押さえよう。キーワードは「個別の指導計画」,「個に応じた指導」などだ。
- 個に応じた指導の例として，どのようなものがあるか。習熟の程度に応じた指導，補充的な指導，発展的な指導など，いろいろある。

1 指導計画の作成等に当たっての配慮事項(全般)

特別支援学校小学部・中学部新学習指導要領総則の第3節の3(3)である。5番目の事項は重要。

□各教科等の各学年，各段階，各分野又は各言語の指導内容については，**単元**や題材など内容や時間の**まとまり**を見通しながら，そのまとめ方や重点の置き方に適切な工夫を加え，主体的・**対話的**で深い学びの実現に向けた**授業改善**を通して資質・能力を育む効果的な指導ができるようにすること。

□各教科等及び各学年相互間の**関連**を図り，系統的，**発展的**な指導ができるようにすること。

□視覚障害者，**聴覚障害者**，肢体不自由者又は病弱者である児童に対する教育を行う特別支援学校の小学部において，学年の内容を**2学年**まとめて示した教科及び外国語活動については，当該学年間を見通して，児童や学校，地域の実態に応じ，児童の**障害**の状態や特性及び心身の発達の段階等を考慮しつつ，効果的，**段階的**に指導するようにすること。

□小学部においては，児童の実態等を考慮し，指導の効果を高めるため，児童の**障害**の状態や特性及び心身の発達の段階等並びに指導内容の関連性等を踏まえつつ，**合科的**・関連的な指導を進めること。

□**知的障害者**である児童又は生徒に対する教育を行う特別支援学校において，各教科，**道徳科**，外国語活動，特別活動及び**自立活動**の一部又は全部を**合わせて**指導を行う場合，各教科，道徳科，外国語活動，特別活動及び自立活動に示す内容を基に，児童又は生徒の知的障害の状態や**経験**等に応じて，**具体的**に指導内容を設定するものとする。

□各教科等の内容の一部又は全部を合わせて指導を行う場合には，**授業**

時数を適切に定めること。

2 個別の指導計画

以下の事項に配慮しつつ，個別の指導計画を作成する。

□児童又は生徒の**障害**の状態や特性及び心身の発達の段階等並びに学習の進度等を考慮して，**基礎的**・基本的な事項に重点を置くこと。

□児童又は生徒が，基礎的・基本的な**知識**及び技能の習得も含め，学習内容を確実に身に付けることができるよう，それぞれの児童又は生徒に作成した**個別の指導計画**や学校の実態に応じて，指導方法や指導体制の工夫改善に努めること。

□児童又は生徒の障害の状態や特性及び心身の発達の段階等並びに学習の進度等を考慮して，**個別指導**を重視するとともに，グループ別指導，繰り返し指導，学習内容の**習熟**の程度に応じた学習，児童又は生徒の興味・関心等に応じた課題学習，**補充的**な学習や発展的な学習などの学習活動を取り入れることや，教師間の**協力**による指導体制を確保することなど，指導方法や指導体制の工夫改善により，**個に応じた指導**の充実を図ること。

3 学部段階間及び学校段階等間の接続

□小学部低学年における教育全体において，例えば**生活科**において育成する自立し生活を豊かにしていくための資質・能力が，他教科等の学習においても生かされるようにするなど，教科等間の**関連**を積極的に図り，幼児期の教育及び中学年以降の教育との円滑な**接続**が図られるよう工夫すること。

□小学部入学当初においては，幼児期において自発的な活動としての**遊び**を通して育まれてきたことが，各教科等における学習に円滑に接続されるよう，生活科を中心に，**合科的**・関連的な指導や弾力的な**時間割**の設定など，指導の工夫や**指導計画**の作成を行うこと。

□**中学部**においては，特別支援学校小学部・中学部学習指導要領又は小学校学習指導要領を踏まえ，小学部における教育又は小学校教育までの学習の成果が中学部における教育に円滑に接続され，**義務教育**段階の終わりまでに育成することを目指す資質・能力を，生徒が確実に身に付けることができるよう工夫すること。

テーマ 15

● 特別支援学校

教育課程の実施と学習評価

ここが出る! ▶▶

・情報化社会では，情報活用能力の育成が必須である。特別支援学校小学部では，小学校と同様，プログラミング教育が必修化された。

・訪問教育の弾力的なカリキュラム編成，個別の指導計画に基づく学習評価は，特別支援学校に固有の事項である。

1 各教科等の指導に当たっての配慮事項

特別支援学校小学部・中学部学習指導要領総則の第４節の１である。

□単元や題材など内容や時間の**まとまり**を見通しながら，児童又は生徒の**主体的**・対話的で深い学びの実現に向けた授業改善を行うこと。

□各教科等において身に付けた知識及び技能を活用したり，思考力，判断力，**表現力**等や学びに向かう力，**人間性**等を発揮させたりして，学習の対象となる物事を捉え思考することにより，各教科等の特質に応じた物事を捉える視点や考え方が鍛えられていくことに留意し，児童又は生徒が各教科等の特質に応じた見方・考え方を働かせながら，知識を相互に**関連**付けてより深く理解したり，**情報**を精査して考えを形成したり，問題を見いだして解決策を考えたり，思いや考えを基に**創造**したりすることに向かう過程を重視した学習の充実を図ること。

□各学校において必要な**言語環境**を整えるとともに，国語科を要としつつ各教科等の特質に応じて，児童又は生徒の**言語活動**を充実すること。あわせて，**読書活動**を充実すること。

□情報活用能力の育成を図るため，各学校において，コンピュータや情報通信ネットワークなどの**情報手段**を活用するために必要な環境を整え，これらを適切に活用した学習活動の充実を図ること。また，各種の統計資料や新聞，**視聴覚教材**や教育機器などの教材・教具の適切な活用を図ること。

⏱□小学部においては，各教科等の特質に応じて，次の学習活動を計画的に実施すること。

ア）児童がコンピュータで**文字**を入力するなどの学習の基盤として必要となる**情報手段**の基本的な操作を習得するための学習活動。

イ）児童が**プログラミング**を体験しながら，コンピュータに意図した処理を行わせるために必要な**論理的思考力**を身に付けるための学習活動。

□児童又は生徒が学習の**見通し**を立てたり学習したことを振り返ったりする活動を，計画的に取り入れるよう工夫すること。

□児童又は生徒が**生命**の有限性や自然の大切さ，主体的に挑戦してみることや多様な他者と**協働**することの重要性などを実感しながら理解することができるよう，各教科等の特質に応じた**体験活動**を重視し，家庭や**地域社会**と連携しつつ体系的・継続的に実施できるよう工夫すること。

□児童又は生徒が自ら**学習課題**や学習活動を選択する機会を設けるなど，児童又は生徒の興味・関心を生かした**自主的**，自発的な学習が促されるよう工夫すること。

2 訪問教育

教員が病院等に訪問する場合である。

□障害のため通学して教育を受けることが困難な児童又は生徒に対して，教員を**派遣**して教育を行う場合については，**障害**の状態や学習環境等に応じて，**指導方法**や指導体制を工夫し，学習活動が効果的に行われるようにすること。

3 学習評価

□児童又は生徒の**よい点**や可能性，**進歩**の状況などを積極的に評価し，学習したことの意義や価値を実感できるようにすること。また，各教科等の目標の実現に向けた学習状況を把握する観点から，単元や題材など内容や時間の**まとまり**を見通しながら評価の場面や方法を工夫して，学習の**過程**や成果を評価し，指導の改善や**学習意欲**の向上を図り，資質・能力の育成に生かすようにすること。

□各教科等の指導に当たっては，**個別の指導計画**に基づいて行われた学習状況や結果を適切に評価し，指導目標や指導内容，指導方法の改善に努め，より効果的な指導ができるようにすること。

□**創意工夫**の中で学習評価の妥当性や**信頼性**が高められるよう，組織的かつ計画的な取組を推進するとともに，学年や学校段階を越えて児童又は生徒の学習の成果が円滑に**接続**されるよう工夫すること。

テーマ 16

● 特別支援学校

児童又は生徒の調和的な発達の支援

ここが出る! ▶▶

- **教育課程実施上の配慮事項のうち，特別支援学校に固有の事項を押さえよう。個別の教育支援計画，重複障害者に対する指導の配慮事項などである。**
- **高等部学習指導要領のキャリア教育の規定は頻出だ。**

1 教育課程の編成及び実施に当たっての配慮事項

特別支援学校小学部・中学部学習指導要領総則の第５節の１である。

□学習や生活の基盤として，教師と児童又は生徒との信頼関係及び児童又は生徒相互のよりよい**人間関係**を育てるため，日頃から**学級経営**の充実を図ること。また，主に集団の場面で必要な指導や援助を行う**ガイダンス**と，個々の児童又は生徒の多様な実態を踏まえ，一人一人が抱える課題に個別に対応した指導を行う**カウンセリング**の双方により，児童又は生徒の発達を支援すること。

□児童又は生徒が，自己の**存在感**を実感しながら，よりよい人間関係を形成し，有意義で充実した学校生活を送る中で，現在及び将来における自己実現を図っていくことができるよう，児童理解又は生徒理解を深め，**学習指導**と関連付けながら，**生徒指導**の充実を図ること。

□児童又は生徒が，学ぶことと自己の将来とのつながりを見通しながら，社会的・**職業的自立**に向けて必要な基盤となる資質・能力を身に付けていくことができるよう，**特別活動**を要としつつ各教科等の特質に応じて，**キャリア教育**の充実を図ること。その中で，**中学部**においては，生徒が自らの生き方を考え主体的に進路を選択することができるよう，学校の教育活動全体を通じ，組織的かつ計画的な**進路指導**を行うこと。

□児童又は生徒が，学校教育を通じて身に付けた知識及び技能を活用し，もてる能力を最大限伸ばすことができるよう，**生涯学習**への意欲を高めるとともに，**社会教育**その他様々な学習機会に関する情報の提供に努めること。また，生涯を通じて**スポーツ**や文化芸術活動に親しみ，豊かな生活を営むことができるよう，地域のスポーツ団体，文化芸術団体及び**障害者福祉団体**等と連携し，多様なスポーツや**文化芸術**

活動を体験することができるよう配慮すること。

□家庭及び地域並びに医療，福祉，**保健**，労働等の業務を行う関係機関との連携を図り，**長期的**な視点で児童又は生徒への教育的支援を行うために，**個別の教育支援計画**❶を作成すること。

□複数の種類の障害を併せ有する児童又は生徒については，専門的な知識，技能を有する教師や特別支援学校間の協力の下に指導を行ったり，必要に応じて専門の**医師**やその他の専門家の指導・助言を求めたりするなどして，学習効果を一層高めるようにすること。

2 キャリア教育及び職業教育に関して配慮すべき事項

特別支援学校高等部では，**キャリア教育**に重点が置かれる。特別支援学校高等部学習指導要領総則に，以下の規定がある。

□学校においては，**キャリア教育**及び職業教育を推進するために，生徒の障害の状態や特性及び心身の発達の段階等，学校や地域の実態等を考慮し，地域及び産業界や**労働**等の業務を行う関係機関との連携を図り，**産業現場**等における長期間の**実習**を取り入れるなどの**就業体験活動**の機会を積極的に設けるとともに，地域や産業界や労働等の業務を行う関係機関の人々の協力を積極的に得るよう配慮するものとする。

□**普通科**においては，生徒の障害の状態や特性及び心身の発達の段階等，学校や地域の実態等を考慮し，必要に応じて，適切な職業に関する各教科・科目の履修の機会の確保について配慮するものとする。

□職業教育を主とする専門学科においては，職業に関する各教科・科目については，**実験・実習**に配当する授業時数を十分確保するようにすること。

□職業教育を主とする専門学科においては，生徒の実態を考慮し，職業に関する各教科・科目の履修を容易にするため**特別な配慮**が必要な場合には，各分野における基礎的又は**中核的**な科目を重点的に選択し，その内容については基礎的・基本的な事項が確実に身に付くように取り扱い，また，主として**実験**・実習によって指導するなどの工夫をこらすようにすること。

□職業に関する各教科・科目については，**就業体験活動**をもって実習に替えることができる。

❶個別の教育支援計画については，テーマ8を参照のこと。

テーマ17 ● 特別支援学校

学校運営上の留意事項

ここが出る!

- カリキュラム・マネジメントは，新学習指導要領で言われている，学校運営の留意事項のキーワードだ。
- 近年，障害のある子どもと障害のない子どもの交流・共同学習が重視されている。その意義と，目的・内容を知っておこう。

1 教育課程の改善と学校評価等，教育課程外の活動との連携等

特別支援学校小・中学部新学習指導要領総則の第6節の1である。**カリキュラム・マネジメント**というキーワードが出てくる。

□各学校においては，**校長**の方針の下に，**校務分掌**に基づき教職員が適切に役割を分担しつつ，相互に連携しながら，各学校の特色を生かした**カリキュラム・マネジメント**❶を行うよう努めるものとする。

□また，各学校が行う**学校評価**については，教育課程の編成，実施，改善が教育活動や学校運営の中核となることを踏まえ，**カリキュラム・マネジメント**と関連付けながら実施するよう留意するものとする。

□教育課程の編成及び実施に当たっては，学校保健計画，**学校安全計画**，食に関する指導の全体計画，**いじめ**の防止等のための対策に関する基本的な方針など，各分野における学校の全体計画等と関連付けながら，効果的な指導が行われるよう留意するものとする。

□中学部において，**教育課程外**の学校教育活動と教育課程との関連が図られるよう留意するものとする。特に，生徒の自主的，自発的な参加により行われる**部活動**については，**スポーツ**や文化，科学等に親しませ，**学習意欲**の向上や責任感，連帯感の涵養等，学校教育が目指す資質・能力の育成に資するものであり，学校教育の一環として，教育課程との関連が図られるよう留意すること。

□その際，学校や地域の実態に応じ，地域の人々の協力，**社会教育施設**や社会教育関係団体等の各種団体との**連携**などの運営上の工夫を行い，**持続可能**な運営体制が整えられるようにするものとする。

❶教育課程に基づき組織的かつ計画的に各学校の教育活動の質の向上を図っていくことである。PDCAサイクルが基本となる。

2 家庭や地域社会との連携及び協働と学校間の連携

第6節の2では，**交流・共同学習**の必要性について言われている。ここは重要な箇所だ。

□学校がその目的を達成するため，学校や**地域**の実態等に応じ，教育活動の実施に必要な**人的**又は物的な体制を家庭や地域の人々の協力を得ながら整えるなど，家庭や地域社会との連携及び**協働**を深めること。また，高齢者や**異年齢**の子供など，地域における世代を越えた**交流**の機会を設けること。

□他の特別支援学校や，幼稚園，認定こども園，保育所，**小学校**，中学校，高等学校などとの間の連携や**交流**を図るとともに，障害のない幼児児童生徒との交流及び**共同学習**の機会を設け，共に**尊重**し合いながら協働して生活していく**態度**を育むようにすること。

□特に，小学部の児童又は中学部の生徒の経験を広げて積極的な態度を養い，**社会性**や豊かな人間性を育むために，学校の**教育活動全体**を通じて，小学校の児童又は中学校の生徒などと交流及び**共同学習**を計画的，組織的に行うとともに，**地域**の人々などと活動を共にする機会を積極的に設けること。

3 交流及び共同学習の意義・目的

文部科学省「交流及び共同学習ガイド」（2019年）を読んでみよう。

□我が国は，**障害**の有無にかかわらず，誰もが相互に人格と個性を尊重し合える**共生社会**の実現を目指しています。

□幼稚園，小学校，中学校，義務教育学校，高等学校，中等教育学校及び**特別支援学校**等が行う，障害のある子供と障害のない子供，あるいは地域の障害のある人とが触れ合い，共に活動する交流及び**共同学習**は，障害のある子供にとっても，障害のない子供にとっても，経験を深め，**社会性**を養い，豊かな**人間性**を育むとともに，お互いを尊重し合う大切さを学ぶ機会となるなど，大きな意義を有するものです。

□また，このような**交流**及び共同学習は，学校卒業後においても，障害のある子供にとっては，様々な人々と共に助け合って生きていく力となり，積極的な**社会参加**につながるとともに，障害のない子供にとっては，障害のある人に自然に言葉をかけて**手助け**をしたり，積極的に**支援**を行ったりする行動や，人々の多様な在り方を理解し，障害のある人と共に支え合う意識の醸成につながると考えます。

□交流及び共同学習は，相互の触れ合いを通じて豊かな人間性を育むことを目的とする**交流**の側面と，教科等のねらいの達成を目的とする**共同学習**の側面があり，この２つの側面を**分かちがたいものとして捉え**，推進していく必要があります。

4 交流及び共同学習の展開

交流及び共同学習を実施する際の留意事項である。上記のガイドを参照。それぞれの局面に分けてみていく。

●関係者の共通理解

□学校，子供たち，**保護者**等の関係者が，交流及び**共同学習**の意義やねらい等について，十分に理解する。

●体制の構築

□**校長**のリーダーシップの下，学校全体で組織的に取り組む体制を整える。

●指導計画の作成

□交流及び共同学習の実施，事前の準備，実施後の振り返りについて，**年間指導計画**に位置付け，計画的・継続的に取り組む。

□単発のイベントやその場限りの活動ではなく，**継続的**な取組として年間指導計画に位置付ける。

●活動の実施

□事前に，活動の**ねらい**や内容等について子供たちの理解を深める。

□障害について**形式的**に理解させる程度にとどまるものにならないよう，子供たちが**主体的**に取り組む活動にする。

□**事後学習**で振り返りを行うとともに，その後の日常の学校生活において，**障害者理解**に係る丁寧な指導を継続する。

●評価

□活動後には，活動のねらいの達成状況，子供たちの意識や行動の**変容**を評価し，今後の取組に生かす。

□活動直後の状況だけではなく，その後の**日常**の生活における子供たちの変容をとらえる。

5 交流及び共同学習の実施状況

2021年度において，公立の小・中学校を対象とした調査結果である❶。

●交流及び共同学習の実施

□実施している学校の割合は，小学校で82.4%，中学校で79.8%。

□形態別の実施学校割合は以下(複数回答による)。

	小学校	中学校
学校間交流	8.9%	10.0%
居住地校交流	27.3%	13.6%
特別支援学級の児童生徒との交流	73.6%	73.3%
その他	0.7%	0.7%

□【 **学校間交流** 】…児童等の居住地を問わず、小学校等と特別支援学校が連携し，交流及び共同学習を行うもの。

□【 **居住地校交流** 】…特別支援学校の児童が居住する地域の小学校等が当該児童を学校に受け入れ，交流及び共同学習を行うもの。

□【 **特別支援学級の児童生徒との交流** 】…通常の学級の児童と特別支援学級の児童生徒が交流及び共同学習を行うもの。

●教育課程への位置づけ

□各教科・領域に位置づけている学校の割合は以下(複数回答による)。

	小学校	中学校
教科	72.1%	67.8%
道徳	36.8%	41.7%
総合的な学習の時間	61.3%	64.6%
特別活動	65.2%	63.1%
その他	2.5%	3.8%

●実施の頻度

□学校間交流の実施回数は，「年間に **2** ～ **3** 回」が最も多い。

□居住地校交流の実施回数は，「年に **1** 回」が最も多い。

□特別支援学級の児童生徒との交流の実施時間は，「週に**10**単位時間以上」が最も多い。

❶文部科学省『公立小・中学校等における教育課程の編成・実施状況調査』(2022年度)による。

テーマ 18

● 特別支援学校

センター的機能

ここが出る! ▶▶

- 「センター的機能」は，特別支援学校の重要なキーワードだ。学習指導要領の規定を押さえよう。
- センター的機能の６つの分類を知っておこう。統計でみて，どういう機能の実施率が高いか。

1 法的根拠と学習指導要領の規定

センター的機能については，法律や学習指導要領で定められている。

● **学校教育法第74条**

□特別支援学校においては，第72条に規定する目的を実現するための教育を行うほか，幼稚園，**小学校**，中学校，義務教育学校，高等学校又は中等教育学校の**要請**に応じて，第81条第１項に規定する幼児，児童又は生徒の教育❶に関し必要な助言又は**援助**を行うよう努めるものとする。

● **特別支援学校小学部・中学部学習指導要領総則**

□**小学校**又は中学校等の要請により，障害のある児童若しくは生徒又は当該児童若しくは生徒の教育を担当する教師等に対して必要な助言又は**援助**を行ったり，地域の実態や家庭の要請等により保護者等に対して教育相談を行ったりするなど，各学校の教師の**専門性**や施設・設備を生かした地域における特別支援教育の**センター**としての役割を果たすよう努めること。

□その際，学校として組織的に取り組むことができるよう**校内体制**を整備するとともに，他の特別支援学校や地域の小学校又は中学校等との**連携**を図ること。

2 センター的機能の中身

センター的機能は多岐にわたるが，おおむね６つに整理できる。

● **６つのセンター的機能**

□小・中学校等の教師への**支援**機能。

❶小・中学校の特別支援学級の教育である。14ページを参照。

- □特別支援教育等に関する**相談・情報提供**機能。
- □障害のある幼児児童生徒への**指導・支援**機能。
- □医療，福祉，労働等の関係機関等との**連絡・調整**機能。
- □小・中学校等の教師に対する**研修協力**機能。
- □障害のある幼児児童生徒への**施設・設備等の提供**機能。

●支援の具体例

学習指導要領解説で，以下のことが言われている。

□小・中学校等に対する具体的な支援の活動内容としては，例えば，**個別の指導計画**や個別の教育支援計画を作成する際の支援のほか，**自立活動**の指導に関する支援，難聴の児童生徒の**聴力測定**の実施や補聴器の調整，**弱視**の児童生徒に対する教材・教具の提供，授業に集中しにくい児童生徒の理解や対応に関する具体的な支援等が考えられる。

□**保護者**等に対して，障害のある児童生徒にとって必要な教育の在り方や見通しについての情報を提供するなどして，特別支援教育の実際についての理解を促す活動もある。支援に当たっては，例えば，特別支援学校の教師が小・中学校等を訪問して**助言**を行ったり，障害種別の**専門性**や**施設・設備**の活用等について伝えたりすることなども考えられる。

3 実態データ

7つの取組を実施した特別支援学校の割合は以下のようである。文部科学省「教育支援資料」（2018年度）による。

●センター的機能の取組の内容(%)

小・中学校等の教員からの**相談対応**	96.5
子供及び保護者からの相談対応*	92.4
小・中学校への**情報提供**機能	93.9
子供への直接的な指導*	51.7
福祉，医療，労働などの関係機関等との**連絡・調整**	94.4
小・中学校等の教員に対する研修協力	92.9
障害のある幼児児童生徒への施設整備等の提供	48.2

＊は自校を除く。

□教員からの相談対応が最も多く，次いで，関係機関等との連絡・調整となっている。

テーマ 19

● 特別支援学校

重複障害者等に関する教育課程

ここが出る! ▶▶

- **教育課程の実施に際して，重複障害者等には，どのような配慮が求められるか。正誤判定の問題が頻出。**
- **前の学校段階の教科による代替措置，自立活動を主とした指導をできることなどがポイントである。**

1 重複障害者等に関する教育課程の取扱い

特別支援学校小学部・中学部新学習指導要領総則の第 8 節である。障害の状態により特に必要がある場合，次の事項による。

□各教科及び外国語活動の目標及び内容に関する事項の一部を**取り扱わない**ことができること。

□各教科の各学年の目標及び内容の一部又は全部を，当該各学年より**前**の各学年の目標及び内容の一部又は全部によって，替えることができること。また，**道徳科**の各学年の内容の一部又は全部を，当該各学年より**前**の学年の内容の一部又は全部によって，替えることができること。

□視覚障害者，聴覚障害者，肢体不自由者又は病弱者である児童に対する教育を行う特別支援学校の小学部の外国語科については，**外国語活動**の目標及び内容の一部を取り入れることができること。

□中学部の各教科及び道徳科の目標及び内容に関する事項の一部又は全部を，当該各教科に相当する**小学部**の各教科及び道徳科の目標及び内容に関する事項の一部又は全部によって，**替える**ことができること。

□中学部の外国語科については，小学部の**外国語活動**の目標及び内容の一部を取り入れることができること。

□**幼稚部教育要領**に示す各領域のねらい及び内容の一部を取り入れることができること。

□**知的障害者**である児童に対する教育を行う特別支援学校の小学部に就学する児童のうち，小学部の **3** 段階❶に示す各教科又は外国語活動の内容を習得し目標を達成している者については，小学校学習指導要領第 2 章に示す各教科及び第 4 章に示す**外国語活動**の目標及び内容の一

❶知的障害者の小学部の教科は，内容が 3 段階に分かれている。テーマ22を参照。

部を取り入れることができるものとする。

□視覚障害者，聴覚障害者，肢体不自由者又は病弱者である児童又は生徒に対する教育を行う特別支援学校に就学する児童又は生徒のうち，**知的障害**を併せ有する者については，各教科の目標及び内容に関する事項の一部又は全部を，**知的障害者**である児童又は生徒に対する教育を行う特別支援学校の各教科❷の目標及び内容の一部又は全部によって，**替える**ことができるものとする。

□**重複障害者**のうち，障害の状態により特に必要がある場合には，各教科，道徳科，外国語活動若しくは特別活動の目標及び内容に関する事項の一部又は各教科，外国語活動若しくは総合的な学習の時間に替えて，**自立活動**を主として指導を行うことができるものとする。

2 訪問教育

重度の障害で通学がかなわない児童生徒には，**訪問教育**が実施される。

●学習指導要領の規定

□**重複障害者**，療養中の児童若しくは生徒又は障害のため通学して教育を受けることが困難な児童若しくは生徒に対して教員を**派遣**して教育を行う場合について，特に必要があるときは，実情に応じた**授業時数**を適切に定めるものとする。

□校長は，生徒の学習の成果に基づき，高等部の全課程の**修了**を認定することができること(高等部)。

●補説

□重複障害者や医療機関に入院している児童生徒の場合又は**訪問教育**を行う場合，各学年の総授業時数及び各教科等の年間の授業時数は，いずれも小学校又は中学校に「準ずる」のではなく，特に必要があれば各学校で適切に**定める**ことができる。(特別支援学校小・中学部学習指導要領解説)

□特別支援学校の小学部，中学部又は高等部において，複数の種類の障害を併せ有する児童若しくは生徒を教育する場合又は教員を**派遣**して教育を行う場合において，特に必要があるときは，…**特別の教育課程**によることができる❸。(学校教育法施行規則第131条第１項)

❷テーマ７を参照のこと。高等部においても，同様の規定がある。
❸この場合，教科書使用の特例も認められる(テーマ４)。

テーマ 20

● 特別支援学校

各教科等の指導計画の作成

ここが出る！▶▶

- **指導計画作成の配慮事項は，障害の種別によって異なる。事項を提示して，どの障害のものかを選ばせる問題が頻出。**
- **拡大教材，手話，指文字，人工内耳，電動車いす，テレビ会議システムなど，学習を助ける補助具やテクノロジーを知っておこう。**

特別支援学校小学部・中学部学習指導要領第2章「各教科」第1節第1款では，障害の種別ごとに，**指導計画作成上の配慮事項**が言われている。順にみていこう。

1 視覚障害者

5つの事項が挙げられている。補説は，学習指導要領解説による（以下同じ）。

●原文

□児童が聴覚，**触覚**及び保有する視覚などを十分に活用して，具体的な事物・事象や動作と**言葉**とを結び付けて，的確な**概念**の形成を図り，言葉を正しく理解し活用できるようにすること。（①）

□児童の視覚障害の状態等に応じて，**点字**又は普通の文字の読み書きを系統的に指導し，習熟させること。なお，点字を常用して学習する児童に対しても，**漢字**・漢語の理解を促すため，児童の**発達**の段階等に応じて適切な指導が行われるようにすること。（②）

□児童の視覚障害の状態等に応じて，指導内容を適切に**精選**し，基礎的・基本的な事項から着実に習得できるよう指導すること。（③）

□視覚補助具やコンピュータ等の情報機器，**触覚教材**，**拡大教材**及び音声教材等各種教材の効果的な活用を通して，児童が容易に情報を収集・整理し，主体的な学習ができるようにするなど，児童の視覚障害の状態等を考慮した指導方法を工夫すること。（④）

□児童が場の状況や活動の過程等を的確に把握できるよう配慮することで，**空間**や時間の概念を養い，**見通し**をもって意欲的な学習活動を展開できるようにすること。（⑤）

●**補説**

□的確な概念を形成するためには，児童生徒が**聴覚**，触覚及び保有する視覚などを十分に**活用**して，事物・事象や動作と**言葉**とを対応できるようにする指導が大切である。その際，観察や実験，操作活動などを通じた**直接体験**によって具体的なイメージを形づくったり，見学・調査などの**体験的**な学習などによって経験の**拡充**を図ったりすることが必要である(①)。

□弱視の児童生徒の見え方は様々であり，視力のほかに，視野，**色覚**，眼振や羞明などに影響を受ける。指導の効果を高めるために，適切なサイズの文字や図表の**拡大教材**を用意したり，各種の**弱視レンズ**，拡大読書器などの視覚補助具を活用したり，机や**書見台**，照明器具等を工夫して見やすい環境を整えたりすることが大切である。(④)

2 聴覚障害者

手話や指文字等を活用する。

●**原文**

□体験的な活動を通して，学習の基盤となる語句などについて的確な**言語概念**の形成を図り，児童の発達に応じた**思考力**の育成に努めること。

□児童の言語発達の程度に応じて，主体的に**読書**に親しんだり，書いて表現したりする態度を養うよう工夫すること。(①)

□児童の聴覚障害の状態等に応じて，音声，文字，**手話**，指文字等を適切に活用して，発表や児童同士の話し合いなどの学習活動を積極的に取り入れ，的確な意思の**相互伝達**が行われるよう指導方法を工夫すること。(②)

□児童の聴覚障害の状態等に応じて，補聴器や**人工内耳**等の利用により，児童の保有する**聴覚**を最大限に活用し，効果的な学習活動が展開できるようにすること。(③)

□児童の言語概念や読み書きの力などに応じて，指導内容を適切に**精選**し，基礎的・基本的な事項に重点を置くなど指導を工夫すること。(④)

□**視覚的**に情報を獲得しやすい教材・教具やその活用方法等を工夫するとともに，**コンピュータ**等の情報機器などを有効に活用し，指導の効果を高めるようにすること。(⑤)

● **補説**

⏱□児童生徒の障害の状態や発達の段階等に応じて，多様な方法(聴覚活用，読話，発音・発語，文字，**キュード・スピーチ**❷，指文字，**手話**など)を適切に選択・活用することが大切である。(③)

3 肢体不自由者

学習を助ける補助具の例を知っておこう。

● **原文**

□体験的な活動を通して**言語概念**等の形成を的確に図り，児童の障害の状態や発達の段階に応じた思考力，**判断力**，表現力等の育成に努めること。(①)

□児童の**身体の動き**の状態や認知の特性，各教科の内容の習得状況等を考慮して，指導内容を適切に設定し，**重点**を置く事項に時間を多く配当するなど計画的に指導すること。(②)

□児童の学習時の**姿勢**や**認知**の特性等に応じて，指導方法を工夫すること。(③)

□児童の身体の動きや意思の表出の状態等に応じて，適切な**補助具**や補助的手段を工夫するとともに，コンピュータ等の**情報機器**などを有効に活用し，指導の効果を高めるようにすること。(④)

□各教科の指導に当たっては，特に**自立活動**の時間における指導との密接な関連を保ち，学習効果を一層高めるようにすること。(⑤)

● **補説**

⏱□補助具の例として，歩行の困難な児童生徒については，つえ，**車いす**，歩行器などが挙げられる。また，筆記等の動作が困難な児童生徒については，**筆記用自助具**や筆記等を代替するコンピュータ等の情報機器及び児童生徒の身体の動きの状態に対応した入出力機器，**滑り止めシート**などが挙げられる。補助的手段の例としては，身振り，**コミュニケーションボード**の活用などが挙げられる。(④)

4 病弱者

行動が制約されるため，疑似体験や仮想体験等も取り入れる。

❷口と手で話し言葉を視覚化すること。口の形で母音，手の形と動きで子音を表す。

● **原文**

□個々の児童の学習状況や病気の状態，授業時数の制約等に応じて，指導内容を適切に**精選**し，基礎的·基本的な事項に重点を置くとともに，指導内容の**連続性**に配慮した工夫を行ったり，各教科等相互の**関連**を図ったりして，効果的な学習活動が展開できるようにすること。(①)

□**健康状態**の維持や管理，改善に関する内容の指導に当たっては，自己理解を深めながら学びに向かう力を高めるために，**自立活動**における指導との密接な関連を保ち，学習効果を一層高めるようにすること。(②)

□体験的な活動を伴う内容の指導に当たっては，児童の病気の状態や学習環境に応じて，**間接体験**や疑似体験，**仮想体験**等を取り入れるなど，指導方法を工夫し，効果的な学習活動が展開できるようにすること。(③)

□児童の身体活動の制限や**認知**の特性，学習環境等に応じて，教材・教具や**入力支援機器**等の補助用具を工夫するとともに，**コンピュータ**等の情報機器などを有効に活用し，指導の効果を高めるようにすること。(④)

□児童の病気の状態等を考慮し，学習活動が**負担過重**となる又は必要以上に**制限**することがないようにすること。(⑤)

□病気のため，**姿勢**の保持や長時間の学習活動が困難な児童については，姿勢の変換や適切な**休養**の確保などに留意すること。(⑥)

● **負担過重とならない学習活動の例**

上記の⑤について，以下の例が示されている(学習指導要領解説)。

□心身症や精神疾患の児童生徒は，**日内変動**が激しいため，常に病気の状態を把握し，例えば過度な**ストレス**を与えないなど，適切に対応する。

□**筋ジストロフィー**の児童生徒は，衝突や転倒による**骨折**の防止等に留意する。

□アレルギー疾患の児童生徒については，**アレルゲン**となる物質を把握し，日々の対応や緊急時の対応を定め，校内で情報を共有する。

⏱□糖尿病や心臓疾患の児童生徒については，活動の量と活動の時間，及び**休憩時間**を適切に定めること。運動や学校行事を計画する際は，**学校生活管理指導表**を活用して，できる活動を保護者と一緒に考える。

テーマ 21

● 特別支援学校

知的障害者の特別支援学校①

ここが出る!

- 各教科等を合わせた指導は，４つからなる。日常生活の指導，遊びの指導，生活単元学習，および作業学習である。
- ４つの指導・学習を行うに際しての留意点についてよく問われる。４つのうちのどれのものか，識別させる問題も出る。

知的障害者の教育を行う特別支援学校では，**各教科等を合わせた指導**が行われる。『特別支援学校小学部・中学部学習指導要領解説(各教科編)』をもとに，理解を深めよう。

1 各教科等を合わせた指導

各教科等を合わせた指導は，４つからなる。

□知的障害者である児童生徒に対する教育を行う特別支援学校においては，児童生徒の学校での**生活**を基盤として，学習や生活の流れに即して学んでいくことが効果的である。

□従前から，**日常生活**の指導，**遊び**の指導，**生活単元**学習，**作業**学習などとして実践されてきており，それらは「**各教科等を合わせた指導**」と呼ばれている❶。

2 日常生活の指導

生活を通して学ぶ。

●概念

□日常生活の指導は，児童生徒の**日常生活**が充実し，高まるように日常生活の**諸活動**について，知的障害の状態，**生活年齢**，学習状況や経験等を踏まえながら計画的に指導するものである。

●内容

□日常生活の指導は，**生活科**を中心として，特別活動の〔学級活動〕など広範囲に，各教科等の内容が扱われる。それらは，例えば，**衣服**の着脱，洗面，手洗い，**排泄**，食事，清潔など基本的**生活習慣**の内容や，

❶各教科等を合わせた指導を行うことができる法的根拠は，学校教育法施行規則第130条第２項である。27ページを参照。

あいさつ，言葉遣い，礼儀作法，時間を守ること，きまりを守ることなどの日常生活や社会生活において，**習慣的**に繰り返される，必要で基本的な内容である。

●**留意点**

□日常生活や学習の自然な流れに沿い，その活動を実際的で**必然性**のある状況下で取り組むことにより，生活や学習の**文脈**に即した学習ができるようにすること。

□毎日**反復**して行い，望ましい**生活習慣**の形成を図るものであり，繰り返しながら取り組むことにより**習慣化**していく指導の段階を経て，発展的な内容を取り扱うようにすること。

□できつつあることや意欲的な面を考慮し，適切な支援を行うとともに，生活上の目標を達成していくために，学習状況等に応じて課題を細分化して**段階的**な指導ができるものであること。

□指導場面や**集団**の大きさなど，活動の特徴を踏まえ，個々の実態に即した効果的な指導ができるよう計画されていること。

□学校と家庭等とが**連携**を図り，児童生徒が学校で取り組んでいること，また家庭等でこれまで取り組んできたことなどの双方向で学習状況等を**共有**し，指導の充実を図るようにすること。

3 遊びの指導

入学当初のスタートカリキュラムに位置づけられることも考えられる。

●**概念**

□遊びの指導は，主に**小学部**段階において，**遊び**を学習活動の中心に据えて取り組み，**身体活動**を活発にし，仲間とのかかわりを促し，意欲的な活動を育み，**心身**の発達を促していくものである。

●**意義**

□特に小学部の就学直後をはじめとする低学年においては，**幼稚部**等における学習との関連性や発展性を考慮する上でも効果的な指導の形態となる場合がみられ，義務教育段階を円滑に**スタート**させる上でも計画的に位置付ける工夫が考えられる。

●**内容**

□遊びの指導では，**生活科**の内容をはじめ，体育科など各教科等に関わる広範囲の内容が扱われ，場や遊具等が限定されることなく，児童が比較的**自由**に取り組むものから，期間や時間設定，題材や集団構成などに一定の条件を設定し活動するといった比較的制約性が高い遊びまで**連続的**に設定される。

●**留意点**

□児童の**意欲的**な活動を育めるようにすること。その際，児童が，**主体的**に遊ぼうとする環境を設定すること。

□教師と児童，児童同士の関わりを促すことができるよう，場の設定，教師の対応，**遊具**等を工夫し，計画的に実施すること。

□**身体活動**が活発に展開できる遊びや室内での遊びなど児童の興味や関心に合わせて適切に環境を設定すること。

□遊びをできる限り**制限**することなく，児童の**健康面**や衛生面に配慮しつつ，安全に遊べる場や遊具を設定すること。

□自ら遊びに取り組むことが難しい児童には，遊びを促したり，遊びに誘ったりして，いろいろな遊びが経験できるよう配慮し，遊びの**楽しさ**を味わえるようにしていくこと。

4 生活単元学習

単元を設定する際の留意点についてよく問われる。

●**概念**

□生活単元学習は，児童生徒が生活上の目標を達成したり，**課題**を解決したりするために，一連の活動を**組織的**・体系的に経験することによって，**自立**や社会参加のために必要な事柄を実際的・**総合的**に学習するものである。

●**留意点**

□単元は，実際の**生活**から発展し，児童生徒の知的障害の状態や生活年齢等及び興味や関心を踏まえたものであり，**個人差**の大きい集団にも適合するものであること。

□単元は，必要な知識や技能の習得とともに，**思考力**，判断力，表現力等や学びに向かう力，人間性等の育成を図るものであり，生活上の望ましい態度や**習慣**が形成され，身に付けた指導内容が現在や将来の生活に生かされるようにすること。

□単元は，児童生徒が指導目標への意識や期待をもち，**見通し**をもって，単元の活動に意欲的に取り組むものであり，**目標意識**や課題意識，課題の解決への意欲等を育む活動をも含んだものであること。

□単元は，一人一人の児童生徒が力を発揮し，**主体的**に取り組むとともに，学習活動の中で様々な役割を担い，集団全体で単元の活動に**協働**して取り組めるものであること。

□単元は，各単元における児童生徒の**指導目標**を達成するための課題の解決に必要かつ十分な活動で組織され，その一連の単元の活動は，児童生徒の自然な**生活**としてのまとまりのあるものであること。

□単元は，各教科等に係る見方・考え方を生かしたり，働かせたりすることのできる内容を含む活動で組織され，児童生徒がいろいろな単元を通して，**多種多様**な意義のある経験ができるよう計画されていること。

5 作業学習

キャリア教育とも関わる。

●**概念**

□作業学習は，**作業活動**を学習活動の中心にしながら，児童生徒の働く意欲を培い，将来の職業生活や**社会自立**に必要な事柄を総合的に学習するものである。

●**留意点**

□児童生徒にとって教育的価値の高い作業活動等を含み，それらの活動に取り組む意義や価値に触れ，喜びや完成の**成就感**が味わえること。

□**地域性**に立脚した特色をもつとともに，社会の変化やニーズ等にも対応した**永続性**や教育的価値のある作業種を選定すること。

□個々の児童生徒の実態に応じた**教育的ニーズ**を分析した上で，段階的な指導ができるものであること。

□知的障害の状態等が多様な児童生徒が，相互の**役割**等を意識しながら協働して取り組める作業活動を含んでいること。

□作業内容や作業場所が**安全**で衛生的，健康的であり，作業量や作業の形態，**実習時間**及び期間などに適切な配慮がなされていること。

□作業製品等の**利用価値**が高く，生産から消費への流れと**社会的貢献**などが理解されやすいものであること。

テーマ 22

● 特別支援学校

知的障害者の特別支援学校②

ここが出る! ▶▶

- **知的障害者の教科の目標と内容は，段階に分けて示されている。その理由を知っておこう。**
- **知的障害者の教育を行う特別支援学校において，指導計画を作成する際に配慮すべき事項はどのようなものか。**

1 各段階の内容

知的障害者の教育を行う特別支援学校では，教科の目標と内容は，小学部は3段階，中学部・高等部は2段階に分けられている❶。

●各段階の内容

小学部 第1段階	主として知的障害の程度は，比較的重く，他人との**意思**の疎通に困難があり，日常生活を営むのにほぼ**常時**援助が必要である者を対象とした内容を示している。
小学部 第2段階	知的障害の程度は，1段階ほどではないが，他人との**意思**の疎通に困難があり，日常生活を営むのに**頻繁**に援助を必要とする者を対象とした内容を示している。
小学部 第3段階	知的障害の程度は，他人との意思の疎通や**日常生活**を営む際に困難さが見られる。**適宜**援助を必要とする者を対象とした内容を示している。
中学部 第1段階	小学部3段階を踏まえ，**生活年齢**に応じながら，主として**経験**の積み重ねを重視するとともに，他人との意思の疎通や日常生活への**適応**に困難が大きい生徒にも配慮した内容を示している。
中学部 第2段階	中学部1段階を踏まえ，生徒の日常生活や社会生活及び将来の**職業生活**の基礎を育てることをねらいとする内容を示している。

●段階分けの理由

□学年ではなく，**段階別**に内容を示している理由は，発達期における知的機能の障害が，同一学年であっても，**個人差**が大きく，**学力**や学習状況も異なるからである。

□そのため，段階を設けて示すことにより，個々の児童生徒の**実態**等に

❶『特別支援学校小学部・中学部学習指導要領解説(各教科編)』による。

即して，各教科の内容を**精選**して，効果的な指導ができるようにしている。

□各段階の内容は，各段階の目標を達成するために必要な内容として，児童生徒の**生活年齢**を基盤とし，知的能力や**適応能力**及び概念的な能力等を考慮しながら段階毎に配列している。

2 指導計画の作成の各教科全体にわたる内容の取扱い

小学部のものを掲げる。各教科等を合わせた指導も行う。

□指導計画の作成に当たっては，個々の児童の**知的障害**の状態，**生活年齢**，学習状況や経験等を考慮しながら，第1の各教科の目標及び内容を基に，6年間を見通して，全体的な**指導計画**に基づき具体的な指導目標や**指導内容**を設定するものとする。

□個々の児童の実態に即して，**教科別**の指導を行うほか，必要に応じて各教科，**道徳科**，外国語活動，特別活動及び自立活動を**合わせて**指導を行うなど，効果的な指導方法を工夫するものとする。その際，各教科等において育成を目指す資質・能力を明らかにし，各教科等の内容間の**関連**を十分に図るよう配慮するものとする。

□個々の児童の実態に即して，**生活**に結び付いた効果的な指導を行うとともに，児童が**見通し**をもって，意欲をもち**主体的**に学習活動に取り組むことができるよう指導計画全体を通して配慮するものとする。

□道徳教育の目標に基づき，道徳科などとの関連を考慮しながら，**特別の教科道徳**に示す内容について，各教科の特質に応じて適切な指導をするものとする。

□児童の実態に即して学習環境を整えるなど，**安全**に留意するものとする。

□児童の実態に即して自立や**社会参加**に向けて経験が必要な事項を**整理**した上で，指導するよう配慮するものとする。

□学校と家庭等とが連携を図り，児童の学習過程について，相互に**共有**するとともに，児童が学習の成果を現在や**将来**の生活に生かすことができるよう配慮するものとする。

□児童の**知的障害**の状態や学習状況，経験等に応じて，教材・教具や**補助用具**などを工夫するとともに，コンピュータや**情報通信ネットワーク**を有効に活用し，指導の効果を高めるようにするものとする。

テーマ 23

● 特別支援学校

知的障害者の特別支援学校③

ここが出る! ▶▶

- **知的障害者の教科の目標・内容は独自のものである。各教科の目標の空欄補充問題が多い。**
- **小学部は生活科と国語科，中学部は国語科と外国語科，高等部は職業科の出題頻度が相対的に高い。**

1 知的障害者の教科の目標(小学部)

6つの教科の目標を掲げる。3段階❶ごとの目標も示されているが，文言は似通っている。

●生活

具体的な**活動**や体験を通して，**生活**に関わる見方・考え方を生かし，**自立**し生活を豊かにしていくための資質・能力を次のとおり育成することを目指す。

- □活動や**体験**の過程において，自分自身，身近な人々，**社会**及び自然の特徴やよさ，それらの関わり等に気付くとともに，生活に必要な**習慣**や技能を身に付けるようにする。
- □自分自身や**身の回り**の生活のことや，身近な人々，社会及び**自然**と自分との**関わり**について理解し，考えたことを表現することができるようにする。
- □自分のことに取り組んだり，身近な人々，社会及び自然に自ら働きかけ，**意欲**や自信をもって学んだり，**生活**を豊かにしようとしたりする**態度**を養う。

●国語

言葉による見方・考え方を働かせ，**言語活動**を通して，国語で理解し表現する資質・能力を次のとおり育成することを目指す。

- □日常生活に必要な**国語**について，その特質を理解し使うことができるようにする。
- □**日常生活**における人との関わりの中で伝え合う力を身に付け，思考力や**想像力**を養う。

❶知的障害者の教科の目標と内容は，小学部は3段階，中学部と高等部は2段階に分けられている。その理由は64ページを参照。

□言葉で伝え合うよさを感じるとともに，**言語感覚**を養い，**国語**を大切にしてその能力の向上を図る態度を養う。

●算数

数学的な見方・考え方を働かせ，**数学的活動**を通して，数学的に考える資質・能力を次のとおり育成することを目指す。

□**数量**や図形などについての**基礎的**・基本的な概念や性質などに気付き理解するとともに，日常の事象を数量や**図形**に注目して処理する技能を身に付けるようにする。

□**日常**の事象の中から数量や図形を**直感的**に捉える力，基礎的・基本的な数量や**図形**の性質などに気付き感じ取る力，数学的な表現を用いて事象を簡潔・**明瞭**・的確に表したり柔軟に表したりする力を養う。

□**数学的活動**の楽しさに気付き，**関心**や興味をもち，学習したことを結び付けてよりよく問題を解決しようとする態度，算数で学んだことを学習や**生活**に活用しようとする態度を養う。

●音楽

表現及び**鑑賞**の活動を通して，音楽的な見方・考え方を働かせ，**生活**の中の音や音楽に興味や関心をもって関わる資質・能力を次のとおり育成することを目指す。

□曲名や**曲想**と音楽のつくりについて気付くとともに，感じたことを**音楽表現**するために必要な技能を身に付けるようにする。

□感じたことを表現することや，曲や**演奏**の楽しさを見いだしながら，音や音楽の楽しさを味わって**聴く**ことができるようにする。

□音や音楽に楽しく関わり，協働して**音楽活動**をする楽しさを感じるとともに，身の回りの様々な音楽に親しむ態度を養い，豊かな**情操**を培う。

●図画工作

表現及び鑑賞の活動を通して，**造形的**な見方・考え方を働かせ，生活や社会の中の形や**色**などと豊かに関わる資質・能力を次のとおり育成することを目指す。

□形や色などの**造形的**な視点に気付き，表したいことに合わせて材料や**用具**を使い，表し方を**工夫**してつくることができるようにする。

□造形的なよさや**美しさ**，表したいことや表し方などについて考え，発想や**構想**をしたり，**身の回り**の作品などから自分の見方や感じ方を広げたりすることができるようにする。

□つくりだす喜びを味わうとともに，**感性**を育み，楽しく豊かな生活を**創造**しようとする態度を養い，豊かな**情操**を培う。

●体育

体育や**保健**の見方・考え方を働かせ，課題に気付き，その解決に向けた学習過程を通して，**心**と体を一体として捉え，**生涯**にわたって心身の健康を保持増進し，豊かな**スポーツライフ**を実現するための資質・能力を次のとおり育成することを目指す。

□**遊び**や基本的な運動の行い方及び身近な生活における**健康**について知るとともに，基本的な動きや健康な生活に必要な事柄を身に付けるようにする。

□遊びや基本的な**運動**及び健康についての自分の**課題**に気付き，その解決に向けて自ら考え行動し，他者に伝える力を養う。

□遊びや基本的な運動に親しむことや**健康**の保持増進と**体力**の向上を目指し，楽しく明るい生活を営む態度を養う。

2 知的障害者の教科の目標(中学部)

国語と外国語の出題頻度が比較的高い。

●国語

言葉による見方・考え方を働かせ，**言語活動**を通して，国語で理解し表現する資質・能力を次のとおり育成することを目指す。

⏱□日常生活や社会生活に必要な**国語**について，その特質を理解し適切に使うことができるようにする。

⏱□日常生活や**社会生活**における人との関わりの中で伝え合う力を高め，**思考力**や想像力を養う。

⏱□**言葉**がもつよさに気付くとともに，**言語感覚**を養い，国語を大切にしてその能力の向上を図る態度を養う。

●社会

社会的な見方・考え方を働かせ，**社会的事象**について関心をもち，具体的に考えたり関連付けたりする活動を通して，**自立**し生活を豊かにするとともに，平和で**民主的**な国家及び社会の形成者に必要な**公民**としての資質・能力の基礎を次のとおり育成することを目指す。

□地域や我が国の国土の**地理的環境**，現代社会の仕組みや役割，地域や我が国の**歴史**や伝統と文化及び外国の様子について，具体的な活動や**体験**を通して理解するとともに，経験したことと関連付けて，調べまとめる技能を身に付けるようにする。

□社会的事象について，自分の**生活**と結び付けて具体的に考え，社会との関わりの中で，選択・判断したことを適切に**表現**する力を養う。

□社会に**主体的**に関わろうとする態度を養い，**地域社会**の一員として人々と共に生きていくことの大切さについての自覚を養う。

●**数学**

数学的な見方・考え方を働かせ，**数学的活動**を通して，数学的に考える資質・能力を次のとおり育成することを目指す。

□数量や**図形**などについての基礎的·基本的な概念や性質などを理解し，事象を**数理的**に処理する技能を身に付けるようにする。

□日常の事象を数理的に捉え見通しをもち**筋道**を立てて考察する力，基礎的・基本的な**数量**や図形の性質などを見いだし統合的・**発展的**に考察する力，**数学的**な表現を用いて事象を簡潔・明瞭・的確に表現する力を養う。

□**数学的活動**の楽しさや数学のよさに気付き，学習を振り返ってよりよく問題を解決しようとする態度，数学で学んだことを**生活**や学習に活用しようとする態度を養う。

●**理科**

自然に親しみ，理科の見方·考え方を働かせ，見通しをもって，観察，**実験**を行うことなどを通して，自然の事物・現象についての問題を科学的に解決するために必要な資質・能力を次のとおり育成することを目指す。

□自然の事物・現象についての基本的な理解を図り，**観察**，実験などに関する初歩的な技能を身に付けるようにする。

□観察，実験などを行い，疑問をもつ力と予想や**仮説**を立てる力を養う。

□自然を愛する**心情**を養うとともに，学んだことを主体的に**日常生活**や社会生活などに生かそうとする**態度**を養う。

●**音楽**

表現及び**鑑賞**の活動を通して，**音楽的**な見方・考え方を働かせ，生活や社会の中の音や音楽，**音楽文化**と豊かに興味や関心をもって関わる資質・能力を次のとおり育成することを目指す。

□**曲名**や曲想と音楽の構造などとの関わりについて理解するとともに，表したい**音楽表現**をするために必要な技能を身に付けるようにする。

□**音楽表現**を考えることや，曲や**演奏**のよさなどを見いだしながら，音や音楽を味わって**聴く**ことができるようにする。

□進んで音や音楽に関わり，協働して**音楽活動**をする楽しさを感じるとともに，様々な音楽に親しんでいく態度を養い，豊かな**情操**を培う。

●美術

表現及び鑑賞の活動を通して，**造形的**な見方・考え方を働かせ，生活や社会の中の美術や**美術文化**と豊かに関わる資質・能力を次のとおり育成することを目指す。

□**造形的**な視点について理解し，表したいことに合わせて材料や用具を使い，表し方を**工夫**する技能を身に付けるようにする。

□造形的なよさや面白さ，**美しさ**，表したいことや表し方などについて考え，経験したことや材料などを基に，発想し**構想**するとともに，造形や作品などを**鑑賞**し，自分の見方や**感じ方**を深めることができるようにする。

□**創造活動**の喜びを味わい，**美術**を愛好する心情を育み，**感性**を豊かにし，心豊かな生活を営む態度を養い，豊かな**情操**を培う。

●保健体育

体育や保健の見方・考え方を働かせ，課題を見付け，その解決に向けた学習過程を通して，心と**体**を一体として捉え，生涯にわたって心身の**健康**を保持増進し，豊かな**スポーツライフ**を実現するための資質・能力を次のとおり育成することを目指す。

□各種の**運動**の特性に応じた技能等及び自分の生活における**健康・安全**について理解するとともに，基本的な技能を身に付けるようにする。

□各種の運動や**健康・安全**についての自分の**課題**を見付け，その解決に向けて自ら思考し判断するとともに，他者に**伝える力**を養う。

□**生涯**にわたって運動に親しむことや健康の保持増進と**体力**の向上を目指し，明るく豊かな生活を営む**態度**を養う。

●職業・家庭

生活の営みに係る見方・考え方や**職業**の見方・考え方を働かせ，生活や職業に関する**実践的**・体験的な学習活動を通して，よりよい**生活**の実現に向けて工夫する資質・能力を次のとおり育成することを目指す。
□生活や**職業**に対する関心を高め，将来の家庭生活や**職業生活**に係る基礎的な知識や技能を身に付けるようにする。
□将来の**家庭生活**や職業生活に必要な事柄を見いだして**課題**を設定し，解決策を考え，実践を**評価**·改善し，自分の考えを表現するなどして，課題を解決する力を養う。
□よりよい家庭生活や将来の職業生活の実現に向けて，生活を**工夫**し考えようとする**実践的な態度**を養う。

●**外国語**

外国語による**コミュニケーション**における見方・考え方を働かせ，外国語の**音声**や基本的な表現に触れる活動を通して，コミュニケーションを図る**素地**となる資質・能力を次のとおり育成することを目指す。
□**外国語**を用いた**体験的**な活動を通して，身近な生活で見聞きする外国語に興味や関心をもち，外国語の**音声**や基本的な表現に慣れ親しむようにする。
□身近で簡単な事柄について，**外国語**で聞いたり話したりして自分の考えや気持ちなどを伝え合う力の**素地**を養う。
□外国語を通して，外国語やその背景にある**文化**の多様性を知り，相手に配慮しながら**コミュニケーション**を図ろうとする態度を養う。

3 知的障害者の職業科の目標（高等部）

出題頻度が高い**職業科**の目標を掲げる。内容は，A）職業生活，B）情報機器の活用，C）産業現場等における実習，からなる。

> **職業**に係る見方・考え方を働かせ，職業など卒業後の**進路**に関する実践的・**体験的**な学習活動を通して，よりよい生活の実現に向けて工夫する資質・能力を次のとおり育成することを目指す。
> □職業に関する事柄について理解を深めるとともに，将来の職業生活に係る**技能**を身に付けるようにする。
> □将来の職業生活を見据え，必要な事柄を見いだして**課題**を設定し，解決策を考え，**実践**を評価・改善し，表現する力を養う。
> □よりよい将来の**職業生活**の実現や**地域社会**への貢献に向けて，生活を改善しようとする実践的な**態度**を養う。

テーマ 24

● 特別支援学校

道徳科，外国語活動，総合的な学習の時間，特別活動

ここが出る! ▶▶

- **道徳科，外国語活動，総合的な学習の時間，特別活動の授業を行うに際して，特別支援学校で配慮すべき事項を押さえよう。**
- **知的障害のある児童生徒の場合，障害の状態等に応じ，指導内容を具体化する。**

特別支援学校独自の配慮事項が定められている。『特別支援学校小学部・中学部学習指導要領』をみてみよう。

1 特別の教科・道徳

通常学校の学習指導要領に準ずる他，以下の事項に配慮する。

⏱□児童又は生徒の障害による学習上又は生活上の困難を改善·**克服**して，強く生きようとする意欲を高め，明るい生活態度を養うとともに，健全な**人生観**の育成を図る必要があること。

⏱□各教科，外国語活動，総合的な学習の時間，特別活動及び自立活動との関連を密にしながら，**経験**の拡充を図り，豊かな道徳的心情を育て，広い視野に立って**道徳的判断**や行動ができるように指導する必要があること。

⏱□知的障害者である児童又は生徒に対する教育を行う特別支援学校において，内容の指導に当たっては，個々の児童又は生徒の知的障害の状態，生活年齢，**学習状況**及び経験等に応じて，適切に指導の重点を定め，指導内容を**具体化**し，**体験的**な活動を取り入れるなどの工夫を行うこと。

2 外国語活動

教科の外国語と異なり，音声やコミュニケーションに重点を置く❶。特別支援学校においては，自立活動との関連を図る。

□児童の障害の状態や特性及び心身の発達の段階等に応じて，指導内容を適切に**精選**するとともに，その**重点**の置き方等を工夫すること。

❶知的障害児の教育を行う小学部では，外国語活動は必要な場合に加える(テーマ7)。

□指導に当たっては，**自立活動**における指導との密接な関連を保ち，学習効果を一層高めるようにすること。

3 総合的な学習の時間

高等部では，総合的な探究の時間という名称である。

□児童又は生徒の**障害**の状態や発達の段階等を十分考慮し，学習活動が効果的に行われるよう配慮すること。

□体験活動に当たっては，**安全**と保健に留意するとともに，学習活動に応じて，小学校の児童又は中学校の生徒などと交流及び**共同学習**を行うよう配慮すること。

□知的障害者である生徒に対する教育を行う特別支援学校中学部において，探究的な学習を行う場合には，知的障害のある生徒の学習上の特性として，学習によって得た知識や技能が**断片的**になりやすいことなどを踏まえ，各教科等の学習で培われた資質・能力を**総合的**に関連付けながら，**具体的**に指導内容を設定し，生徒が自らの課題を解決できるように配慮すること。

4 特別活動

集団活動を通して，社会性を育む。小・中学校等との交流・共同学習も取り入れる。

□学級活動においては，適宜他の学級や学年と合同で行うなどして，**少人数**からくる種々の制約を解消し，活発な**集団活動**が行われるようにする必要があること。

□児童又は生徒の**経験**を広めて積極的な態度を養い，社会性や豊かな人間性を育むために，**集団活動**を通して小学校の児童又は中学校の生徒などと交流及び**共同学習**を行ったり，地域の人々などと活動を共にしたりする機会を積極的に設ける必要があること。その際，児童又は生徒の障害の状態や特性等を考慮して，活動の種類や時期，**実施方法**等を適切に定めること。

□知的障害者である児童又は生徒に対する教育を行う特別支援学校において，内容の指導に当たっては，個々の児童又は生徒の知的障害の状態，**生活年齢**，学習状況及び経験等に応じて，適切に指導の重点を定め，**具体的**に指導する必要があること。

テーマ25 ● 特別支援学校

自立活動の目標と内容

頻出度 A

ここが出る! ▶▶

- **特別支援学校には，自立活動という独自の領域がある。目標の原文の空欄補充問題が多い。**
- **自立活動の内容は，6区分・27項目に分かれる。内容をまとめた表の空欄補充問題が頻出だ。**

1 自立活動の目標

目標の原文の空欄補充問題が多い。文中の重要タームの意味については，学習指導要領解説の記述を見ておこう。

●原文

特別支援学校小学部・中学部学習指導要領第7章第1である。

> □個々の児童又は生徒が**自立**を目指し，**障害**による学習上又は生活上の困難を主体的に**改善**・克服するために必要な知識，技能，態度及び**習慣**を養い，もって心身の**調和的発達**の基盤を培う。

●補説

□「**自立**」とは，児童生徒がそれぞれの障害の状態や発達の段階等に応じて，**主体的**に自己の力を可能な限り発揮し，よりよく生きていこうとすることを意味している。

□「**障害による学習上又は生活上の困難を主体的に改善・克服する**」とは，児童生徒の実態に応じ，日常生活や学習場面等の諸活動において，その障害によって生ずるつまずきや困難を**軽減**しようとしたり，また，障害があることを受容したり，つまずきや困難の**解消**のために努めたりすることを明記したものである。

□「**改善・克服**」については，改善から克服へといった**順序性**を示しているものではないことに留意する必要がある。

□「**調和的発達の基盤を培う**」とは，一人一人の児童生徒の発達の遅れや**不均衡**を改善したり，発達の進んでいる側面を更に伸ばすことによって遅れている側面の発達を促すようにしたりして，**全人的**な発達を促進することを意味している。

2 自立活動の内容

自立活動の内容は大きく**6つ**に分かれ，それぞれの下に細目（合計27項目）が設けられている。

●内容の考え方

□自立活動の内容は，人間としての**基本的な行動**を遂行するために必要な要素と，障害による学習上又は生活上の困難を**改善・克服**するために必要な要素を検討して，その中の代表的なものを項目として6つの区分の下に分類・整理したものである。

●内容の区分・項目

この表の空欄補充問題が多い。しっかり覚えよう。

□健康の保持
①生活の**リズム**や生活習慣の形成に関すること。
②**病気**の状態の理解と生活管理に関すること。
③**身体各部**の状態の理解と養護に関すること。
④障害の特性の理解と**生活環境**の調整に関すること❶。
⑤健康状態の**維持・改善**に関すること。

□**心理的**な安定
①**情緒**の安定に関すること。
②状況の理解と**変化**への対応に関すること。
③障害による**学習**上又は生活上の困難を改善・克服する**意欲**に関すること。

□**人間関係**の形成
①他者との**かかわり**の基礎に関すること。
②他者の意図や**感情**の理解に関すること。
③自己の理解と行動の**調整**に関すること。
④**集団**への参加の基礎に関すること。

□**環境**の把握
①保有する**感覚**の活用に関すること（★）。
②感覚や**認知**の特性についての理解と対応に関すること。
③感覚の補助及び**代行手段**の活用に関すること（★）。

❶2017年の学習指導要領改訂で新設された項目である。

④**感覚**を総合的に活用した周囲の状況についての把握と状況に応じた行動に関すること。

⑤認知や行動の手掛かりとなる**概念**の形成に関すること。

□**身体**の動き

①**姿勢**と運動・動作の基本的技能に関すること。

②姿勢保持と運動・動作の**補助的手段**の活用に関すること(★)。

③**日常生活**に必要な基本動作に関すること。

④身体の**移動能力**に関すること。

⑤作業に必要な**動作**と円滑な遂行に関すること。

□コミュニケーション

①コミュニケーションの**基礎的能力**に関すること。

②**言語**の受容と表出に関すること。

③言語の**形成**と活用に関すること。

④**コミュニケーション手段**の選択と活用に関すること(★)。

⑤**状況**に応じたコミュニケーションに関すること。

3 自立活動の指導内容例

上表の★印の項目について詳しくみてみよう。学習指導要領解説を参照。

●保有する感覚の活用に関すること

□「保有する感覚の活用に関すること」は，保有する視覚，**聴覚**，触覚，嗅覚，**固有覚**，前庭覚などの感覚を十分に活用できるようにすることを意味している。

□固有覚とは，**筋肉**や関節の動きなどによって生じる自分自身の身体の情報を受け取る感覚であり，主に**力**の加減や動作等に関係している感覚である。前庭覚とは，重力や動きの**加速度**を感知する感覚であり，主に**姿勢**のコントロール等に関係している感覚である。

●感覚の補助及び代行手段の活用

□視覚障害のある幼児児童生徒の場合，小さな文字など細かなものや遠くのものを読み取ることが難しいことがある。そこで，遠用・近用などの各種の**弱視レンズ**や拡大読書器などの視覚補助具，**タブレット型**端末などを効果的に活用できるように指導することが大切である。また，明るさの変化を音の変化に変える**感光器**のように視覚以外の感覚で確認できる機器を必要に応じて活用できるように指導することも大切である。

□聴覚障害のある幼児児童生徒の場合，補聴器や**人工内耳**を装用していても，音や他者の話を完全に聞き取れるわけではない。その際，聴覚活用に加えて，視覚を通した情報の収集が考えられる。**視覚**を活用した情報収集の方法としては，手話や**指文字**，キュード・スピーチ，口形，**読話**などがあり，それぞれの特徴や機能を理解していくことが重要である。

●姿勢保持と運動・動作の補助的手段

□補助用具には，**座位安定**のためのいす，作業能率向上のための机，移動のためのつえ，**歩行器**，車いす及び**白杖**等がある。このほか，よく用いられる例としては，持ちやすいように握りを太くしたり，ベルトを取り付けたりしたスプーンや鉛筆，食器やノートを机上に固定する装置，着脱しやすいようにデザインされた衣服，手すりなどを取り付けた便器などがある。

●コミュニケーション手段

□視覚障害により点字を常用して学習する児童生徒の場合，キーボードでの入力や**点字ディスプレイ**への出力に慣れ，点字と普通の文字を相互変換したり，コンピュータの**読み上げ機能**を使って文書処理をしたりするなど，コンピュータを操作する技能の習得を図ることが大切である。さらには，**点字携帯情報端末**を学習や生活の様々な場面で活用することも考えられる。

□聴覚障害の幼児児童生徒の場合，音声や手話，指文字，**キュード・スピーチ**等を使用して，周囲とのより円滑なコミュニケーションを図ることが考えられる。また，**文字**や絵等を用いて，自分の考えや意思を表すことも考えられる

□**知的障害**のある幼児児童生徒の場合，対人関係における緊張や記憶の保持などの困難さを有し，適切に意思を伝えることが難しいことが見られるため，タブレット型端末に入れた写真や**手順表**などの情報を手掛かりとすることや，**音声出力**や文字・写真など，代替手段を選択し活用したコミュニケーションができるようにしていくことが大切である。

テーマ 26 ● 特別支援学校

自立活動の指導計画の作成と内容の取扱い

ここが出る!

- 自立活動においては，個別の指導計画を作成する。テーマ8で示した作成の手順を復習しよう。
- 自立活動の指導内容を設定する際，どのようなことに配慮すべきか。「成就感」，「意欲を高める」などのキーワードに注目のこと。

1 個別の指導計画の作成

特別支援学校小学部・中学部新学習指導要領第7章「自立活動」の第3の1にて，基本原則が掲げられている。幼稚部と高等部についても，同様の事項がいわれている(以下，同じ)。

□自立活動の指導に当たっては，個々の児童又は生徒の**障害**の状態や発達の段階等の的確な把握に基づき，指導すべき課題を明確にすることによって，指導の目標及び指導内容を明確にし，**個別の指導計画**を作成するものとする。その際，第2に示す内容の中からそれぞれに必要とする項目を**選定**し，それらを相互に関連付け，具体的に**指導内容**を設定するものとする。

2 個別の指導計画の作成に当たっての配慮事項

上記の原文でいわれている，個別の**指導計画**を作成する際は，以下の事項に配慮する(第3の2)。

□個々の児童又は生徒について，障害の状態，発達や**経験**の程度，興味・関心，生活や**学習環境**などの実態を的確に把握すること。

□児童又は生徒の実態把握に基づいて得られた指導すべき**課題**相互の関連を検討すること。その際，これまでの**学習状況**や将来の可能性を見通しながら，**長期的**及び短期的な観点から指導の**目標**を設定し，それらを達成するために必要な指導内容を**段階的**に取り上げること。

□具体的に指導内容を設定する際には，以下の点を考慮すること。

ア　児童又は生徒が，興味をもって主体的に取り組み，**成就感**を味わうとともに自己を**肯定的**にとらえることができるような指導内容を取り上げること。

イ　児童又は生徒が，障害による学習上又は生活上の困難を**改善・克**

服しようとする**意欲**を高めることができるような指導内容を重点的に取り上げること。

ウ　個々の児童又は生徒が，発達の遅れている側面を補うために，発達の**進んでいる**側面を更に伸ばすような指導内容を取り上げること。

エ　個々の児童又は生徒が，**活動**しやすいように自ら環境を整えたり，必要に応じて周囲の人に**支援**を求めたりすることができるような指導内容を計画的に取り上げること。

オ　個々の児童又は生徒に対し，自己選択・**自己決定**する機会を設けることによって，思考・**判断**・表現する力を高めることができるような指導内容を取り上げること。

カ　個々の児童又は生徒が，**自立活動**における学習の意味を将来の**自立**や社会参加に必要な資質・能力との関係において理解し，取り組めるような指導内容を取り上げること。

□児童又は生徒の学習の状況や結果を適切に**評価**し，**個別の指導計画**や具体的な指導の改善に生かすよう努めること。

□**各教科**，道徳科，外国語活動，総合的な学習の時間及び**特別活動**の指導と密接な**関連**を保つようにし，計画的，**組織的**に指導が行われるようにするものとする。

3 その他の事項

□個々の児童又は生徒の実態に応じた具体的な指導方法を**創意工夫**し，意欲的な活動を促すようにするものとする。

□重複障害者のうち**自立活動**を主として指導を行うものについては，**全人的な発達**を促すために必要な基本的な指導内容を，個々の児童又は生徒の実態に応じて設定し，**系統的**な指導が展開できるようにするものとする。

□自立活動の指導は，専門的な知識や技能を有する教師を中心として，**全教師**の協力の下に効果的に行われるようにするものとする。

□児童又は生徒の障害の状態等により，必要に応じて，専門の**医師**及びその他の専門家の**指導・助言**を求めるなどして，適切な指導ができるようにするものとする。

□自立活動の指導の成果が進学先等でも生かせるように，**個別の教育支援計画**等を活用して関係機関等との**連携**を図るものとする。

テーマ 27

● 特別支援学校

幼児期の終わりまでに育ってほしい姿

ここが出る!

- **特別支援学校には幼稚部があるが，この段階を終えるまでに「育ってほしい姿」はどのようなものか。特別支援学校幼稚部教育要領で示されている，10の項目を覚えよう。**
- **「協同性」，「社会生活との関わり」に関する説明文がよく出る。**

1 幼児期の終わりまでに育ってほしい姿

特別支援学校幼稚部教育要領で，10の項目が示されている。これらを手がかりに，幼稚部と小学部(小学校)の教育の接続を円滑にする。

□**健康**な心と体

・幼稚部における生活の中で，**充実感**をもって自分のやりたいことに向かって心と**体**を十分に働かせ，見通しをもって行動し，自ら**健康**で安全な生活をつくり出す。

□**自立心**

・身近な**環境**に主体的に関わり様々な活動を楽しむ中で，しなければならないことを自覚し，自分の力で行うために考えたり，工夫したりしながら，諦めずにやり遂げることで**達成感**を味わい，自信をもって行動する。

□**協同性**

・友達と関わる中で，互いの思いや考えなどを共有し，**共通の目的**の実現に向けて，考えたり，工夫したり，**協力**したりし，充実感をもってやり遂げる。

□道徳性・**規範意識**の芽生え

・友達と様々な体験を重ねる中で，してよいことや悪いことが分かり，自分の行動を振り返ったり，友達の気持ちに**共感**したりし，相手の立場に立って行動する。

・また，**きまり**を守る必要性が分かり，自分の気持ちを**調整**し，友達と折り合いを付けながら，きまりをつくったり，守ったりする。

□**社会生活**との関わり

・**家族**を大切にしようとする気持ちをもつとともに，地域の身近な人と触れ合う中で，人との様々な**関わり方**に気付き，相手の気持ちを考えて関わり，自分が役に立つ喜びを感じ，**地域**に親しみをもつ。

・また，学校内外の様々な**環境**に関わる中で，遊びや生活に必要な情報を取り入れ，**情報**に基づき判断したり，情報を伝え合ったり，活用したりするなど，情報を役立てながら活動するようになるとともに，**公共の施設**を大切に利用するなどして，**社会**とのつながりなどを意識する。

□**思考力**の芽生え

・身近な事象に積極的に関わる中で，**物**の性質や仕組みなどを感じ取ったり，気付いたりし，考えたり，**予想**したり，工夫したりするなど，多様な関わりを楽しむ。

・また，友達の様々な考えに触れる中で，自分と**異なる**考えがあることに気付き，自ら判断したり，考え直したりするなど，新しい考えを生み出す喜びを味わいながら，自分の考えをよりよいものにする。

□自然との関わり・**生命尊重**

・**自然**に触れて感動する体験を通して，自然の変化などを感じ取り，好奇心や**探究心**をもって考え言葉などで表現しながら，身近な事象への関心が高まるとともに，**自然**への愛情や**畏敬**の念をもつ。

□**数量**や図形，標識や**文字**などへの関心・感覚

・遊びや生活の中で，数量や**図形**，標識や文字などに親しむ体験を重ねたり，標識や文字の役割に気付いたりし，自らの**必要感**に基づきこれらを活用し，**興味**や関心，感覚をもつ。

□**言葉**による伝え合い

・先生や友達と心を通わせる中で，絵本や**物語**などに親しみながら，豊かな**言葉**や表現を身に付け，経験したことや考えたことなどを言葉で伝えたり，相手の話を注意して聞いたりし，言葉による**伝え合い**を楽しむ。

□豊かな**感性**と表現

・心を動かす出来事などに触れ**感性**を働かせる中で，様々な素材の特徴や表現の仕方などに気付き，感じたことや考えたことを自分で表現したり，友達同士で**表現**する過程を楽しんだりし，表現する喜びを味わい，**意欲**をもつ。

※これらは到達すべき目標ではないことに注意。

試験直前ファイナルチェック

□1　特別支援学校中学部の各教科等の授業は，年間35週以上にわたって行うように計画する。 →P.40

□2　特別支援学校小学部における各教科等の授業の１単位時間は，45分とする。 →P.41

□3　小学部入学当初においては，国語科を中心に，合科的・関連的な指導を行うなどの工夫をする。 →P.43

□4　交流及び共同学習は，小・中学校では「総合的な学習」に位置付けている学校が最も多い。 →P.51

□5　特別支援学校が担うセンター的機能の一つとして，「小・中学校等の教師への支援機能」がある。 →P.52

□6　特別支援学校小学部では，必要がある場合，幼稚部教育要領の各領域のねらいや内容を取り入れることができる。 →P.54

□7　視覚障害者の教育を行う特別支援学校小・中学部では，児童・生徒の学習時の姿勢や認知の特性等に応じて，指導方法を工夫することとされる。 →P.58

□8　知的障害者の教育を行う特別支援学校小学部の各教科の内容は，難易度に応じて，２段階に区分されている。 →P.64

□9　2017年の特別支援学校学習指導要領の改訂により，自立活動の内容は，６つの区分の下，26の項目に分けられることになった。 →P.75

□10　自立活動の指導に当たっては，個別の指導計画を作成するものとする。 →P.78

●Answer●

1　○

2　×
１単位時間は，各学校で定めるとされる。

3　×
国語科ではなく，生活科である。

4　×
教科である。

5　○
センター的機能は，重要なキーワードである。

6　○

7　×
視覚障害者ではなく，肢体不自由者である。

8　×
２段階ではなく，３段階に分けられる。

9　×
６区分・27項目である。

10　○

障害の理解

テーマ 28

● 障害の理解

視覚障害の概念と実態把握

ここが出る! ▶▶

- **眼球や視路の図を提示し，代表的な部位の名称を答えさせる問題が多い。図をしっかりみておこう。**
- **視覚障害の原因となる眼疾患には，どのようなものがあるか。白内障，緑内障，網膜色素変性など，代表的なものは知っておこう。**

1 視覚障害とは

文部科学省の資料では，次のようにいわれている❶。

●概念

□視覚障害とは，**視機能**の永続的な低下により，学習や**生活**に困難がある状態をいう。視機能が低下していても，それが何らかの方法若しくは，短期間に回復する場合は視覚障害とはいわない。

□視機能には，７つの機能があり，**視力**(遠方，近方)や視野に加え，光覚(暗順応･明順応)，**色覚**，屈折･調節，眼球運動，**両眼視**(立体，遠近)がある。したがって，視覚障害とは，**視力**障害，**視野**障害，色覚障害，明順応障害，**暗順応**障害などをいう。

□明順応反応，暗順応反応を合わせて**光覚障害**という場合もある。

●視覚障害の条件

□**両眼**ともに視機能が低下していること。片眼だけに視機能の低下がある場合には，視覚障害とはいわない。

□現状以上の**視機能**の回復が望めないこと。医療によって視機能が回復する場合は，視覚障害には含めない。

2 視力障害

教育上，最も問題となるのは視力障害である。

●視力の測定

□視力は，ものの形などを見分ける力である。視力を測定するためには，ランドルト環を視標として用いるが，切れ目の幅が1.5mmのもの(次

❶文部科学省｢障害のある子供の教育支援の手引｣(2021年)である。本テーマの記述は，主にこの資料に依拠している。

ページの図)を単位の視標としている。

□この切れ目を５mの距離から見分けられる場合，視力は1.0となる。

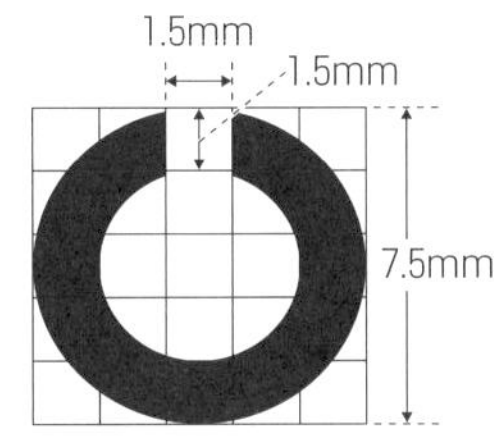

●**視力の分類**

□視力には，**遠見視力**と近見視力とがある。

□遠見視力は５mの距離で，近見視力は30cm前後の距離で測定した視力である。一般的に「視力」という場合は，**遠見視力**を指す。

●**視力障害の程度**

□【　盲　】…視力が非常に低く，視覚以外の感覚(触覚，聴覚など)を用いて学習する必要がある場合。点字を常用。

□【　弱視　】…文字を使った学習は可能。ただし，文字を拡大する，拡大鏡を用いるなどの配慮が要る。

3　視野障害・光覚障害

視力以外の視機能障害として，視野障害と光覚障害がある。

●**視野障害**

□**視野**とは，正面を見ている場合に，同時に上下左右などの各方向が見える範囲である。

□【　求心性視野狭窄　】…視野が周囲の方から狭くなって中心付近だけが残ったもの。残った視野が中心部10度以内になると，視力が低下しなくても歩行や周囲の状況把握に著しく不自由になる。

□【　中心暗点　】…周囲は見えるが，中心部だけが見えないこと。

●**光覚障害**

□【　暗順応障害　】…暗いところではほとんど見えず，夜道などを歩くのに困難を感じる。夜盲といわれる状態である。

□【　明順応障害　】…明るいところで目が慣れにくく見えにくい(昼盲という)。また，通常の光でもまぶしさを強く感じる現象を**羞明**という。

4　視覚機構

視覚障害は，**視覚機構**(眼球，視路)の障害によって起こる。

●**眼球・視路・視神経**

□眼球はカメラにたとえると理解しやすい。角膜と水晶体は透明で光線を屈折し，カメラの**レンズ**の役割を果たす。

□網膜は**フィルム**に相当し，網膜にある視細胞のうち色や形を主として感じる**錐体細胞**は黄斑中心窩付近で，暗所で光を主として感じる**杆体細胞**は網膜中間部で密に配列している。ピント合わせは，毛様体筋やZinn小帯の働きで，**水晶体**の弾性により屈折力が変化して行われる。

□【　視路　】…視神経から大脳視覚中枢までの部分。

□【　視神経　】…網膜の反応を視覚中枢に伝える伝導路。

●眼球と視路の図

□眼球と視路の図を掲げる。重要な部位の名称は空欄にしてある。

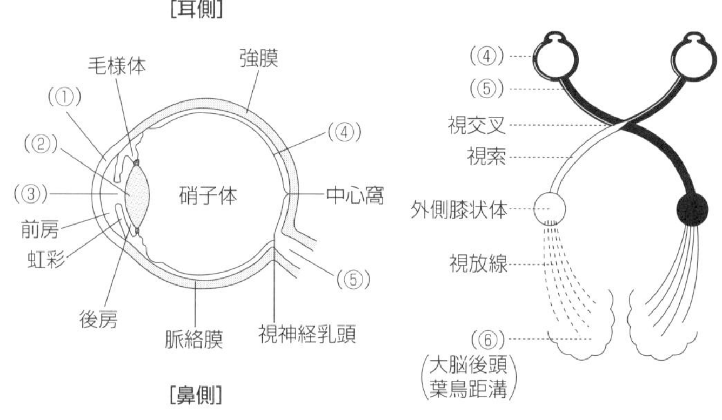

眼球の水平断面図　　　視路

文部科学省『教育支援資料』(2013年) より転載

①：(　角膜　)　②：(　水晶体　)　③：(　瞳孔　)
④：(　網膜　)　⑤：(　視神経　)　⑥：(　視中枢　)

●ものが見える仕組み

□外からの光は**角膜**で屈折して，硝子体の中を進んで**網膜**に達する。

□網膜に達した光は**視神経**を通って，脳の**視中枢**に送られる。このことで視覚が生じる。

5 視覚障害の主な原因

□【　小眼球　】…先天的原因により，眼球が異常に小さいこと。

□【　白子眼　】…ブドウ膜と網膜の色素が欠乏し，光をまぶしく感じる。

□【　白内障　】…水晶体に濁りがあり，視力障害が起きる。

□【　緑内障　】…眼房水の排出がうまくいかず，眼圧が高くなる。

□【　未熟児網膜症　】…網膜血管が未熟であること。未熟児にみられる。

□【　網膜芽細胞腫　】…網膜にできる悪性の腫瘍。

□【　網膜色素変性　】…網膜の視細胞の変性により，夜盲や視野狭窄が起きる。

□【　視神経萎縮　】…視神経の委縮により，中枢への刺激伝達が不能。

□【　網膜剥離　】…網膜が脈絡膜から剥がれることにより，視力や視野が低下すること。

□【　黄斑変性　】…網膜の黄斑の異常により，視力が低下する。

6 視覚障害児の行動等の特徴

3つのケースについて，想定される事項を述べよう。

●視力障害

□文字や形態等を視覚で認知することが難しい場合，視覚を必要とする行動には，**聴覚**や触覚などの視覚以外の感覚を活用することになる。

□初めて経験する事柄や未知の場面においては，それらに慣れるまで**支援**が必要な場合が多い。その場合，日常生活における環境の判断は，**聴覚**の働きに頼ることが多い。外界の**物音**や，靴音の反射音などが環境判断の手掛かりになる。外気の流れや**におい**もその一助となる。

●視野障害

□視野狭窄がある場合には，例えば，**横**から近づいてくるものに気づかないことや，歩いていて**段差**に気づかないことがある。

□**中心暗点**がある場合には，周囲の状況が比較的わかりやすいので，移動等に支障がない場合もある。しかし，中心部の視力が低いために文字を読んだり，ものを詳しく見たりすることには支障をきたす。

●光覚障害

□**夜盲**があると，明るいところで不自由はなくても，少しでも暗くなったり，暗いところに入ったりした場合に行動が制限される。

□**羞明**があると，まぶしくて見えにくいだけでなく，痛みを感じたり目が開けられなくなったりする。

テーマ **29**

● 障害の理解

視覚障害のある子どもに対する指導内容

ここが出る! ▶▶

- **視覚障害のある子どもに対する指導内容は独自のものである。視機能発達，概念形成，移動能力等がキーワードだ。**
- **就学前では3つ，義務教育段階では5つの指導内容が挙げられている。具体的な指導方法の例も知っておこう。**

文部科学省「障害のある子供の教育支援の手引」（2021年）の記載事項である。

1 視力の発達

視力が発達するためには条件がある。

□視力の発達は，出生直後は光を感じる程度であるが3歳頃までに急速に発達は進み，就学時の6～7歳でほぼ大人の視力になり，10歳頃に視力は安定する。

□視力が発達するためには条件があり，第一に網膜で一番視力の高い中心窩が映されるため，左右の**視線**が正しく目標に向かうこと，次に両方の目の**ピント**が合っていることが必要である。

□中心窩にピントがぼやけた像ばかり映っていると感度が低下するとともに，網膜に映った像を脳に伝える経路の発達が停滞する。

2 就学前における特別な指導内容

まず3つの指導内容を押さえ，それぞれの詳細事項をみていこう。

● **3つの指導内容**

□①**視機能**の発達を促す
□②**概念**の形成と言葉の活用
□③状況の理解と変化への対応や**他者**の意図や感情の理解

● **補説**

□視覚活用の基礎技能（**注視**，注視点の移行，**追視**）等の指導が重要である。（①）

□視覚による情報が獲得しにくいことから，具体的な事物・事象や動作

と言葉とを結び付けて，概念の形成を図り，言葉を活用できるようにすることが大切である。(②)

3 義務教育段階における特別な指導内容

就学以降は，５つの内容に重きを置く。５番目の移動能力に関する事項は出題頻度が高い。

● ５つの指導内容

□(A)保有する**視機能**の活用と向上を図ること
□(B)認知や行動の手掛かりとなる**概念**の形成に関すること
□(C)感覚の補助及び**代行手段**の活用に関すること
□(D)状況に応じた**コミュニケーション**に関すること
□(E)身体の**移動能力**に関すること

●補説

□学習中の**姿勢**に留意したり，危険な場面での対処方法を学んだり，両眼で物を**追視**したりするなどして，**視機能**の発達を適切に促すことができるように指導することが大切である。(A)

□子供が**触覚**や保有する視覚などを用い，対象物の形や大きさ，**手触り**，構造，機能等を観察することで，**概念**を形成できるようにするとともに，それらの概念を日常の学習や**生活**と結び付けて考えたり，活用したりすることができるように指導することが大切である。(B)

□遠用・近用などの各種の**弱視レンズ**などの視覚補助具，地図や資料を拡大するために，タブレット型端末などを効果的に活用できるように指導することが大切である。(C)

□相手の声の様子や握手をした際の手の感覚から相手の体格や年齢などを推測して話を進めたり，声の**響き方**から部屋の広さや相手との距離を判断して声の出し方を調節したりするなど，場や状況に応じた話し方を身に付ける指導を行う必要がある。(D)

□発達の段階に応じて，**伝い歩き**やガイド歩行，**他者**に援助を依頼する方法などを身に付けて安全に目的地まで行けるように指導することが重要である。また，見えにくい子供の場合は，保有する**視覚**を十分に活用したり，**視覚補助具**を適切に使ったりできる力を付けることも必要である。(E)

テーマ 30

● 障害の理解

歩行指導

ここが出る! ▶▶

- **公的資料でいわれている，歩行指導の概念を押さえよう。「定位」と「身体移動」がキーワードだ。**
- **白杖の操作法は頻出。歩行指導に関する重要用語と概念と結び付けさせる問題も多い。**

1 歩行指導の概念

文部省「歩行指導の手引」（1985年）の記載事項である。

□視覚障害者が，一つの場所から他の場所へ，自分の位置と目的地との位置関係を**定位**することによって，安全かつ**能率的**に，しかも**バランス**の取れた姿勢で**移動**できる技能を習得させる指導のことをいう。

□**方向指導**に際しては，まず自分と環境との関係づけの処理が正確にできるようにするため，**視覚**以外の感覚から得られる情報を効果的に処理して，連続的な環境の変化に対応して，自分の位置を**定位**する技能を養うことが必要である。

□次いで，定位ができても，その方向に移動するためには，移動方向を維持し，移動中の**障害物**を回避しながら目的地に到達する**身体移動**の技能を養うことが必要である。この場合，身体移動に際しての必要な条件として，「**安全性**」，「能率性」，「**姿勢**」の3点を指導の柱として位置づけることが大切である。

□歩行指導は，この3原則を踏まえつつ発達段階に即して**定位**と**身体移動**の技能に関する指導を，系統的かつ**総合的**に行う。

2 歩行指導の順序

□手引き歩行（**介添歩行**）→室内移動時の伝い歩き→**白杖**の導入と操作法→**学校近隣**の住宅街の歩行→**交通機関**の利用→混雑地の歩行と援助依頼→**単独通学**などの応用歩行。

□手引をする誘導者は，視覚障害者の**斜め前**に立つ。

□視覚障害者が道路を通行する際は，政令で定める**つえ**を構え，又は政令で定める**盲導犬**を連れていなければならない（道路交通法）。

3 白杖(はくじょう)

●機能

□【　緩衝機能　】…衝動を和らげ，身体を防御する。

□【　探知機能　】…路面の様子などを探る。

□【　シンボル機能　】…視覚障害者であることを周囲に示す。

●操作法

□【　タッチテクニック　】…手首を支点にして，弧を描くように左右に振る。地面の変化や障害物の有無を把握できる。

□【　スライド法　】…石突を地面にすべらせながら振る。足元の安全の確認ができる。

4 重要用語

文部省「歩行指導の手引」（1985年）の巻末資料から抜粋する。

□【　定位　】…環境内の自分の位置と目的地の位置関係を，保有する感覚や自分の持つ概念によって定めること。**オリエンテーション**ともいう。

□【　身体移動　】…定位に基づいて，一つの場所から他の場所へ，安全かつ能率的に身体移動すること。**モビリティー**ともいう。

□【　ファミリアリゼーション　】…未知の地域や場所などについて，様々な方法によって既知の状態にすること。

□【　ランドマーク　】…定位のための必要な手掛かりの中で，その位置が固定されていて，よく知られていると同時に，容易に認識できるもの。

□【　身体座標軸　】…自己を原点として前後，左右，上下の座標系で空間を区切る概念。

□【　空間座標軸　】…自己の外側に存在する物体を原点とする座標系で，空間を区切る概念。

□【　ガイドライン　】…心的地図の中にある歩行コースを認知するための連続線状の手掛かりを，実際の環境に設定して具現化したもの。

□【　ベアリング　】…歩行中に，本人の意志とは関係なく，歩行コースの進行方向から右又は左に自然にそれてしまうこと。

□【　ハインズブレーク　】…視覚障害者が，例えば，腕を引っぱられたり，背中を押されたりなどして誘導される場合に，正しい介添えの仕方に修正してもらうこと。

テーマ
31
● 障害の理解

点字

ここが出る! ▶▶

- **点字は，視覚障害者が読み書きをするためのツールである。考案者を含め，基礎的な知識は得ておきたい。**
- **簡単な単語を点字で表記させる問題が出る。点字のルールを知っておけば対応できる。**

1 点字の基礎

1マス中の数字の位置は決まっている。間違えないように。

□点字は，1825年にフランスのルイ・ブライユが考案した。

□点字の1マスは，タテ3点，ヨコ2点の6点から構成される。(右図)

①	④
②	⑤
③	⑥

2 文字の表し方

①，②，④の母音に他の点を加えて表現する。

●母音(ア行)

□①，②，④の3点を組み合わせて母音を表現する。アは①，イは①②，ウは①④，エは①②④，オは②④の点で表す。

●50音の表し方

□カ行は，上記の母音に⑥を足して表す。サ行は⑤⑥，タ行は③⑤，ナ行は③，ハ行は③⑥，マ行は③⑤⑥，ラ行は⑤の点を足す。

□カ行，サ行は以下のようになる。

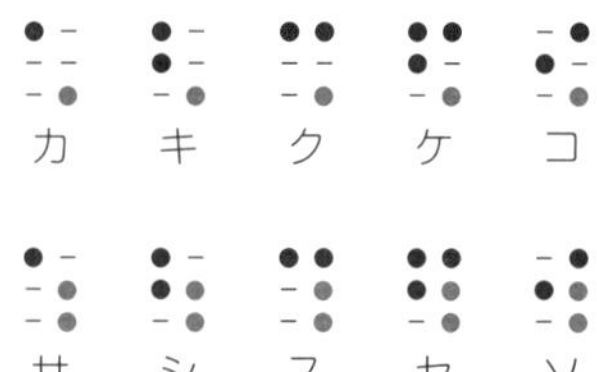

●濁音・半濁音の表し方

□濁音は⑤の点，半濁音(パピプペポ)は⑥の点を前に加える。ガ行は，カ行の前に⑤の点を置く。パ行は，ハ行の前に⑥の点を置く。

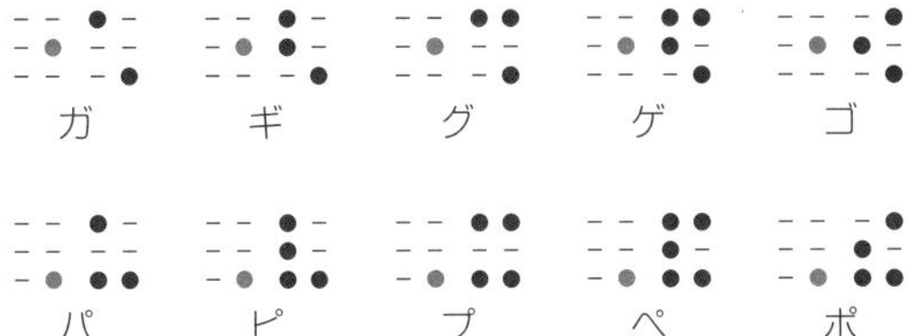

●変則型

□ヤ行と「ワ，ヲ，ン」は以下のようになる。

3 点字の一覧

ア行からワ行の点字の一覧を示しておく。赤い点は母音である。カ行は母音に⑥を足すというように，ルールで覚えること。

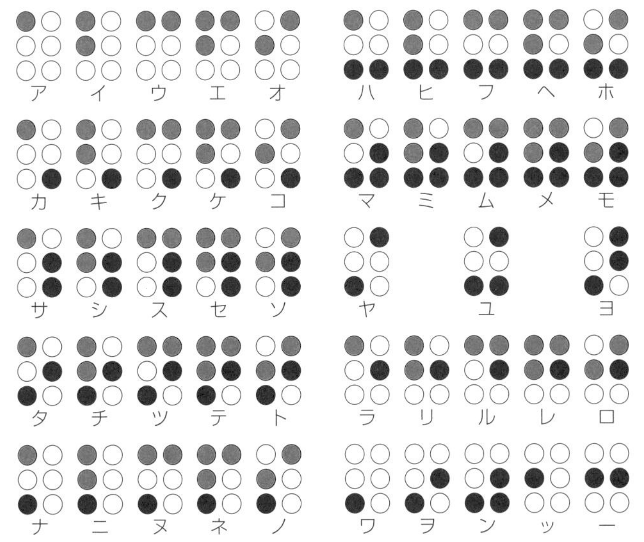

テーマ 32 ● 障害の理解

視覚障害児教育の教材・教具 頻出度 B

ここが出る!
- 視覚障害児用の点字教科書が刊行されている。道徳の教科化に伴い，道徳科の教科書が追加されていることに注意。
- 視覚障害による学習上の困難を補う，教材・教具が多数開発されている。代表的なものは知っておこう。

1 点字教科書

文部科学省「特別支援学校（視覚障害）点字教科書の編集資料」による。

●種類

小学部	国語，社会，**算数**，理科，外国語，道徳
中学部	国語，**社会**，数学，理科，英語，**道徳**

●編集方針

□原典教科書の内容そのものの大幅な**変更**は行わないこと。

□やむを得ず原典教科書の内容を修正したり，差し替えたりする場合には，児童の特性を考慮するとともに，**必要最小限**にとどめること。

□特に図，表，写真等については，**点図化**や文章化するなど，できる限り原典教科書に沿った**点訳**ができるように工夫すること。

●取扱上の留意事項

□やむを得ず原典教科書の一部を削除してあるが，その部分の指導においては，それぞれの学習のねらいを踏まえ，適切な教材・教具の活用を図るなどして，削除した内容を**補う**ような配慮が必要である。

2 教科書バリアフリー法

正式名称は「障害のある児童及び生徒のための教科用特定図書等の普及の促進等に関する法律」である。

□教科用特定図書等とは，**拡大教科書**，点字教科書，**音声教材**である。

□**教科用図書発行者**は，児童及び生徒が障害その他の特性の有無にかかわらず十分な教育を受けることができるよう，その発行をする検定教科用図書等について，適切な**配慮**をするよう努めるものとする。（第4条）

□拡大教科書，点字教科書は，小・中学校等で**無償配布**される。

3 代表的な教材・教具

●主として盲児用

□【　オプタコン　】…小型カメラでとらえた文字を振動に変換して，指先で読み取る。

□【　音声読書システム　】…教科書や新聞等の文字を音声で読む。

□【　感光器　】…光を音に変換する装置。理科の実験で，試験管内の色の変化を調べる時などに用いる。

□【　点字エディタ・プリンタ　】…点字文書を作成する。

□【　表面作図器　】…弾力性のある面に書いた文字や図形がそのまま浮き上がる。触図教材の作成が可能。レーズライターともいう。

□【　立体コピー　】…カプセルペーパーを使い，原稿を立体状にコピーする。

□【　ピンディスプレイ　】…パソコン画面の文字を点字で表示。

□【　トーキングエイド　】…文字盤で作成した文章を音声に変換。

●主として弱視児用

□【　遠用弱視レンズ　】…遠くのものを見るための単眼鏡。

□【　拡大読書器　】…カメラで撮影した映像を，モニタ画面に表示する。弱視レンズよりも高い拡大率が得られる(50倍程度まで)。

□【　画面拡大ソフト　】…パソコンの出力映像を拡大して表示。

□【　近用弱視レンズ　】…小さなものを見るためのルーペ。卓上型，手持ち型，眼鏡型がある。

□【　斜面机　】…体をかがめなくても本が読める。類似の機能を持つものとして，書見台がある。

4 教育の情報化に関する手引

文部科学省の手引(2020年6月)の記載事項である。

□特別支援学校(視覚障害)においては，視覚からの情報入手の困難を補う手段として，音声読み上げ機能や，ピンディスプレイ等の支援機器の活用によって，画面やマウス操作に頼らなくともコンピュータの操作ができるよう工夫して指導を行ってきた。

□コンピュータによる点訳の技術が進歩し，文字をデジタル化することで飛躍的に点訳の労力を省くことができるようになった。

テーマ 33 ● 障害の理解

聴覚障害の概念と実態把握

ここが出る! ▶▶

- **聴覚器官の部位の名称を押さえよう。図が頻出である。伝音難聴と感音難聴の区別をつけよう。**
- **オージオグラムは最頻出。平均聴力を計算させる問題や，曲線の型から聴覚障害のタイプを答えさせる問題がよく出る。**

1 聴覚障害とは

文部科学省「障害のある子供の教育支援の手引」（2021年）による❶。

☐聴覚障害とは，聴覚機能の**永続的低下**と環境との相互作用で生じる様々な問題点の総称である。

☐聴覚機能の低下が乳幼児期に生じると，**言語発達**やコミュニケーション技能上に，また，学習の習得や**社会参加**に種々の課題を生じる一因となり得る。

2 聴覚の生理学

聴覚の生理学の基礎を知っておこう。

●聴覚器官

☐聴覚器官は，**外耳**（耳介，外耳道），**中耳**（鼓膜，鼓室，耳小骨，耳小骨筋，耳管），**内耳**（蝸牛，前庭，半規管），聴覚伝導路，**聴覚中枢**からなっている。以下の図は，上記の文部科学省資料より転載。

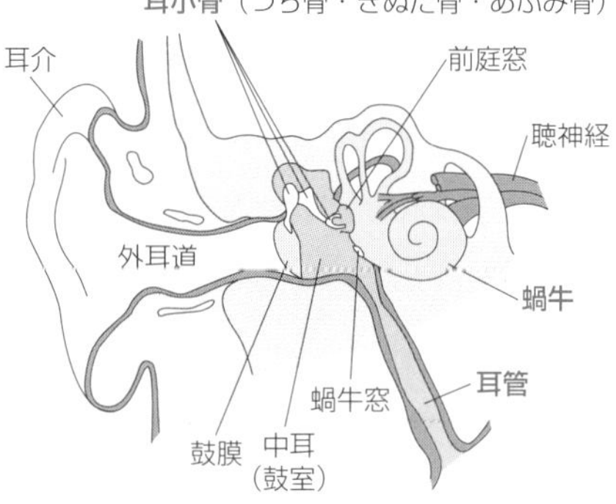

❶本テーマの記述は，主にこの資料に依拠している。

□これらは，外界にある音の振動を受け止め，これを内耳の感覚細胞まで送り込む作業をしている**伝音部分**と，送り込まれた音の振動を感覚細胞で感じ，神経興奮（インパルス）に換え，脳幹の神経伝導路を通って大脳の聴皮質に送る**感音部分**に大別される。

●音の振動が内耳に伝わる経路

□【　空気伝導　】…振動が外耳，中耳を通っていく経路。気導ともいう。

□【　骨伝導　】…頭蓋の振動となって直接内耳を振動する経路。骨導ともいう。

3 聴覚障害の分類

難聴は，障害**部位**，障害の程度や型，障害が生じた時期や**原因**などによって分けることができる。

●障害部位による分類

□【　伝音難聴　】…伝音系の部位に障害。音が小さく聞こえる。

□【　感音難聴　】…感音系の部位に障害。音がひずんで聞こえ，言葉の音の明瞭度が低下する。

□感音難聴を**末梢神経性難聴（内耳性）**と中枢神経性難聴（後迷路性）に分けることもある。

□【　混合性難聴　】…伝音難聴と感音難聴が併存。

●障害の程度による分類

□軽度難聴（25～40dB未満），**中等度難聴**（40～70dB未満），高度難聴（70～90dB未満）及び**最重度難聴**（90dB以上）に分けられる。

□環境音や人の音声の大きさをdBで表すと，以下のようになる。

深夜の郊外	ささやき声	0～20dB
静かな事務所	静かな会話，普通の会話	30～50dB
静かな車の中		60dB
騒がしい事務所	**大声の会話**	70dB
せみの声		80dB
	叫び声	90dB
電車の通るガード下	30cmの近くの叫び声	100dB
車の警笛		110dB
ジェット機の騒音	30cmの近くのサイレン	120dB

4 オージオグラム

人間の聴力レベルは，オージオグラムをもとに計測される。

●概念

□【 オージオグラム 】…各周波数(Hz)の聴力レベル(dB)を視覚的に表したもの❷。

●オージオグラムの読み方

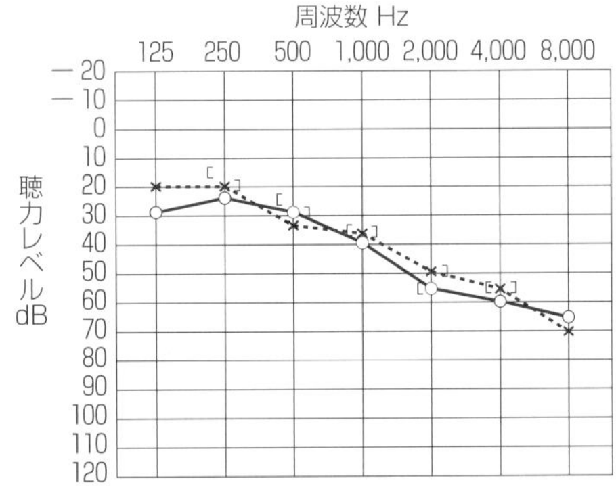

□縦軸のdB(デシベル)は，値が大きいほど聴力が悪いことを意味する。

□右耳の気導聴力は○，左耳の気導聴力は×で示される。

□右耳の骨導聴力は [，左耳の骨導聴力は] で示される。

●平均聴力レベルの算出式

一般に用いられる簡便なやり方を紹介する。

□以下の式で算出される。

(500HzのdB＋1000HzのdB×2＋2000HzのdB)÷4

□上記のオージオグラムから，右耳の気導聴力を出すと…

{30dB＋(40dB×2)＋55dB}÷4＝41.25dB

●聴力型

オージオグラムの曲線の型によって，聴覚障害の詳細が推し量られる。

□【 水平型 】…各周波数の聴力レベルがほぼ同程度の群で，耳硬化症や感音難聴などでみられる。

□【 低音障害型 】…低い周波数の聴力レベルの値が大きい群で，伝音

❷オージオグラムは，国立特別支援教育総合研究所『特別支援教育の基礎・基本(新訂版)』(2020年)より引用。

難聴やメニエル病などでみられる。（図のA）

□【　高音障害漸傾型　】…高い周波数ほど聴力レベルが大きい群で，**感音難聴**などでみられる。（図のB）

□【　高音障害急墜型　】…低い周波数帯は，障害の程度が軽度であるが，1000～2000Hzよりも高音部で急激に重度になる群で，感音難聴，特に薬物中毒でしばしばみられる。

□【　dip型　】…限局した周波数帯の聴力レベルだけが大きな値を示すもので，**音響外傷**の際の4000Hzdipはよく知られている。

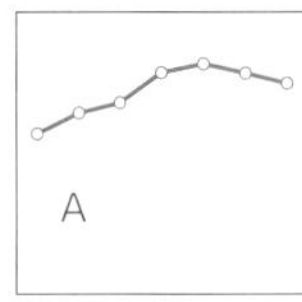

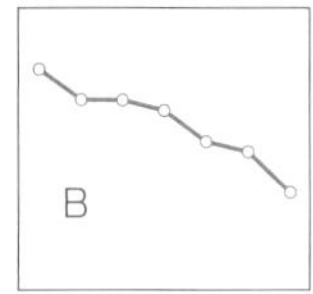

5　聴覚障害の程度による特徴

聴力レベルによって異なる。

●平均聴力レベル25～40dB

□話声語を4～5m，ささやき語を50cm 以内で聞き取ることができ，一対一の会話場面での支障は少ないが，日常生活面では**聞き返し**が多くなる。

□学校などの集団の中では周囲の**騒音**に妨害されて聞き取れないことがあり，小学校などで座席が後ろの方であったりすると，教室の騒音等により教師の話が正確に聞き取れないことがある。

●平均聴力レベル40～60dB

□通常の話し声を1.5～4.5mで聞き取れるので，言語習得前に障害が生じた場合でも，家庭内での生活上の支障は見逃されやすい。

□**言語発達**の障害を来して学習面での困難を生じ得るため，適切な補聴の上で教育的な配慮が必要である。

●平均聴力レベル60～90dB

□通常の話し声を0.2～1.5mで聞き取れるので，**補聴器**の補聴が適正であれば，音声だけでの会話聴取が可能である場合が多い。

●平均聴力レベル90dB以上

□**言語習得期**前に障害が生じた場合には，早期からの適切な教育的対応は必須である。また，**人工内耳**の装用も選択肢の一つとして考えられる。

テーマ 34

● 障害の理解

聴覚障害のある子どもへの教育的対応

ここが出る! ▶▶

- 聴覚障害のある子どもとのコミュニケーションの方法として，どのようなものがあるか。4つの観点から，代表的なものを知っておこう。
- 聞こえと言葉の発達のプロセスを知っておこう。各時期の特徴を答えさせる問題が出る。

1 言語指導の方法

文部科学省「聴覚障害教育の手引」（2020年）による。

●要素法と全体法

□【 要素法 】…音韻，音節，文字，指文字などの言語の形態的要素を教え，これを結合して単語や文に進む指導法。

□【 全体法 】…言語を意味の単位，すなわち単語や文などの単位で教える指導法。

●生活の言語化と言語の生活化

□【 生活の言語化 】…食事や着替えなど日常の生活行動を通して言語を学習させる言語指導の方法。

□【 言語の生活化 】…散歩や水遊びなど生活の場面を想定し，絵カード等を用いてその場面で使われる様々な言い方をあらかじめ教えておき，実際の生活の場面でその言い方を使うよう促して言葉を定着させるという言語指導の方法。

2 聴覚障害児とのコミュニケーションの方法

●音声

□聴覚活用，**読話**，発音・発語，**キューサイン**がある。

□【 読話 】…話し手の口の開け方を見て相手の話を理解する，すなわち話し手の音声言語を視覚的に受容すること。

⏱□【 キューサイン 】…日本語の子音の音素レベルを表す記号（キュー）を手指の位置や形で表したもの。

●文字

□板書，**筆談**，コンピュータなどの情報機器がある。文字を活用した伝達は聴覚障害のある人の**意思の疎通**や情報収集・発信を容易にする。

●指文字

□指文字とは，日本語の**50音表**で表される仮名文字一つ一つを片手で表すことができるよう考案されたものである。

●手話

□【　日本語対応手話　】…日本語の語順に配列して表現する手話。

□【　日本手話　】…独自の文法と語彙を有した手話。

3 聞こえと言葉の発達

文部科学省「障害のある子供の教育支援の手引」(2021年)を参照。聴覚及び**言葉**の発達の特性から，聴覚障害のある子供の教育では，**早期**発見と**早期**からの教育的対応が極めて重要である。

●新生児期

□この時期では，大きな音に対して**まばたき反射**が起こったり，ビクッとしたり，呼吸のリズムが変化したりする**反射性**の反応がみられるだけで，胎児期に聞いていた母体の**心音**等を除けば，周囲の音に関心を示したり，言葉を理解したりすることはみられない。

●生後 3 か月まで

□周囲にあるいろいろな音に気付き，**反応**を示すようになる。話し掛けると静かになるなど，音や話し言葉に対する興味や関心が広がる時期で，**喃語**もこのころから始まる。

●生後 8 か月まで

□音の出る**玩具**に興味をもち，自らその音を出して楽しむようになる。話し掛けたり，歌を歌って聞かせたりすると，じっと顔を見つめるようになり，なじみ深い事柄の理解もできるようになる。

●生後 1 年まで

□**理解語**が多くなり，簡単な指示を理解して，それに従うことができる。選択的に，気に入った言葉を**模倣**するようになる。**初発語**が出るのもこの時期である。

●生後 2 年まで

□日常生活の中では，人の話を理解するのにほとんど不自由がない。周囲の物や人に対する関心が高まり，**質問**を連発する。具体的なことについて尋ねると，**言葉**でこたえるようになる。音の刺激を合図にして，簡単な動作を**条件**付けることが可能になる。

テーマ 35

● 障害の理解

手話，指文字

ここが出る! ▶▶

- **手話や指文字を使った聴覚障害者教育の先駆者は誰か。日本では，大曽根源助が考案した指文字が用いられている。**
- **指文字を提示して，該当する文字を答えさせる問題が出る。基本レベルの問題ばかりなので，正答できるようにしよう。**

1 歴史

手話と指文字は，聴覚障害者のコミュニケーション・ツールである。

□17世紀，フランスのド・レペが教育方法としての手話法を実践。

□スペインの**ペドロ・ポンセ**が指文字を聴覚障害者教育に導入。

□わが国では，**京都盲啞院**などの学校で手話を用いた教育が開始される。

□大阪市立聾学校の**大曽根源助**が日本語の50音に対応した指文字を考案し，以後，この大曽根方式指文字が広く用いられる。

2 手話

主な挨拶である。イラストも確認しておきたい。

□おはよう

1）握った右手をこめかみにつけ，頬の所まで下げる。

2）両手の人差し指を向かい合わせ，お辞儀をさせる。

□こんにちは

1）人差し指と中指を眉間につける。

2）両手の人差し指を向かい合わせ，お辞儀をさせる。

□こんばんは

1）両方の掌を相手に向け，顔の前で交差させる。

2）両手の人差し指を向かい合わせ，お辞儀をさせる。

□ありがとう

1）水平にした左手の甲を右手の小指でたたく。

2）左手はそのままで，右手を上げてお辞儀をする。

□ごめんなさい

1）右手の親指と人差し指で眉間をつまむ。

2）のばした右手の掌を前に出し，拝むようにする。

3 指文字

●指文字

参考として，50音の指文字一覧表を掲載しておく。

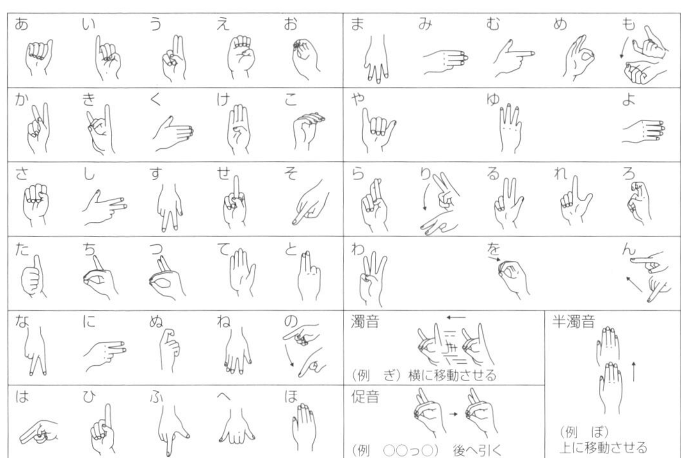

全日本聾唖連盟『わたしたちの手話』より転載

＊過去問

簡単な指文字の過去問をやってみよう。

次の①～④は，指文字を表している。指文字に対応する文字の組み合わせとして正しいものを，あとの〈選択肢〉の中から1つ選び，記号で答えよ。なお，これらは全て相手側から見たものである。〈長崎県〉

① 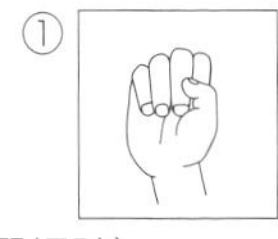
② 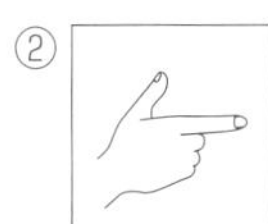
③ 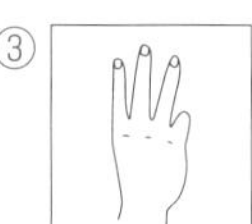
④ 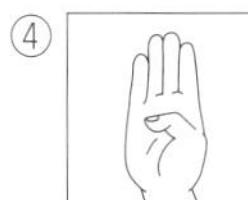

〈選択肢〉

ア．① あ　② む　③ ゆ　④ せ
イ．① さ　② れ　③ み　④ よ
ウ．① え　② ふ　③ わ　④ て
エ．① あ　② ふ　③ わ　④ ね
オ．① さ　② む　③ ゆ　④ け

〈解答〉　オ

テーマ 36

● 障害の理解

補聴器，人工内耳

頻出度 C

ここが出る！

- **補聴器には3つのタイプがあり，一長一短がある。文章から，どのタイプのものかを言い当てられるようにしよう。**
- **補聴器でも聴覚活用ができない場合，外科手術を伴う人工内耳の適用となる。人工内耳の構造と部位の名称を知っておこう。**

1 補聴器

補聴器のタイプと，「フィッティング」という言葉を覚えよう。

●補聴器のタイプ

□【　箱型補聴器　】…操作が容易。価格が安い。ただし大きくて目立ちやすく，活動に不便。

□【　耳かけ補聴器　】…ハウリングが起きにくいので最大出力を高くできる。ただし汗に弱い。

□【　挿耳型補聴器　】…小さいので装用しても目立たない。ただし操作しにくく，ハウリングが起きやすいので最大出力を高くできない。

●詳細な説明

文部科学省「障害のある子供の教育支援の手引」（2021年）による。

□補聴器は，音を**増幅**して話声の聴取を援助する機能を備えた携帯型の医療機器であり，通常マイクロホン，電子回路，**イヤホン**で構成される。

□外観上から，**ポケット型**，耳かけ型，耳あな型，**眼鏡型**などに分類される。

□教育現場では，遠隔話者（教師等）の声を，デジタル電波等を用いて補聴器等に直接伝えることができる**補聴援助機器**が併用される場合がある。

□個々の聴力の状態に応じて補聴器の調整を行うことを**フィッティング**といい，適切な**フィッティング**を行うことは補聴器装用を行うための必要条件である。

□学校の教室環境下で，通常の会話を聞き取るには，**補聴器**を装用した状況で，周波数帯125Hz～8000Hzにおいて，安定して**60dBSPL**程度以上が聞き取れるようにすることが必要であるが，聞こえは個人の聴力型・補聴器の性能・**イヤモールド**の状況等にも関係する。

2 人工内耳(じんこうないじ)

●概説

□人工内耳は，**蝸牛**に電極を埋め込み，聴神経を電気刺激するもの。

□体内部分(**インプラント**)と体外部分(**スピーチプロセッサ**)からなる。後者から前者に音声信号と電力が送られる。

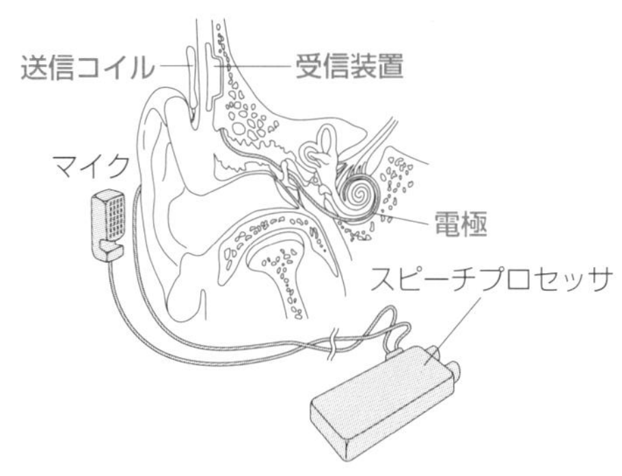

●詳細な説明

文部科学省「障害のある子供の教育支援の手引」(2021年)による。

□人工内耳は，現在世界で普及している人工臓器の一つで，難聴があって**補聴器**での装用効果が不十分である際に**手術**の適応となり得る。

□一般的には，**90**デシベル以上の高度難聴で，少なくとも**6か月間**補聴器を試みても聴覚活用ができない場合であるとされる。

□人工内耳では手術的に蝸牛に**電極**(インプラント)を埋め込むプロセスと，外部装置(**プロセッサ**)を調整して装用するプロセスが必要となるため，手術前後には，医療機関，療育機関(特別支援学校(聴覚障害)，難聴児通園施設，リハビリ医療機関など)，両親や家族の支援が重要である。

□人工内耳を装用したとしても，手術後にすぐに，聞き取りが聴覚に障害のない状態と**同等**になるわけではない。

□ごく**低年齢**で手術を実施することが人工内耳を介した音声言語の獲得を行うために重要であると考えられているため，進行性・遅発性難聴の場合を除いて**就学後**に人工内耳の適応となることはまれである。

□一般的には人工内耳を装用した状態で**20**から**40**dB程度の装用域値が得られる場合が多い。

テーマ 37

● 障害の理解

知的障害の概念と実態把握

ここが出る！

- **知的障害の定義，およびそれに含まれる重要用語の意味について知っておこう。**
- **知的障害をもたらす病理的要因のうち，代表的なものを押さえよう。概要文を提示して，名称を答えさせる問題が出る。**

1 知的障害とは

文部科学省「障害のある子供の教育支援の手引」（2021年）を参照。

□知的障害とは，一般に，同年齢の子供と比べて，「**認知**や言語などにかかわる**知的機能**」の発達に遅れが認められ，「他人との意思の交換，日常生活や社会生活，安全，仕事，余暇利用などについての**適応能力**」も不十分であり，特別な支援や配慮が必要な状態とされている。

□また，その状態は，環境的・**社会的条件**で変わり得る可能性があると言われている。

2 知的障害の定義

『特別支援学校学習指導要領解説・各教科等編（小・中学部）』に詳しく書かれている。4つの点に関する補足説明も読んでおくこと。

●定義

□知的障害とは，**知的機能**の発達に明らかな遅れと，**適応行動**の困難性を伴う状態が，**発達期**に起こるものを言う。

●知的機能の発達に明らかな遅れ

□**「知的機能の発達に明らかな遅れ」**がある状態とは，**認知**や言語などに関わる精神機能のうち，情緒面とは区別される**知的面**に，同年齢の児童生徒と比較して**平均的水準**より有意な遅れが明らかな状態である。

●適応行動の困難性

□**「適応行動の困難性」**とは，他人との意思の疎通，日常生活や社会生活，安全，**仕事**，余暇利用などについて，その年齢段階に**標準的**に要求されるまでには至っていないことであり，適応行動の習得や**習熟**に困難があるために，実際の生活において支障をきたしている状態である。

●伴う状態

□**「伴う状態」**とは，「**知的機能**の発達に明らかな遅れ」と「**適応行動**の困難性」の両方が同時に存在する状態を意味している。

□知的機能の発達の遅れの原因は，概括的に言えば，**中枢神経系**の機能障害であり，適応行動の困難性の背景は，周囲の**要求水準**の問題などの心理的，**社会的**，環境的要因等が関係している。

●発達期に起こる

□「発達期に起こる」とは，この障害の多くは，胎児期，出生時及び出生後の比較的**早期**に起こることを表している。

□発達期の規定の仕方は，必ずしも一定しないが，成長期（おおむね18歳）までとすることが一般的である。

3 適応行動の面での困難

適応行動の面で生じる困難は，大きく3つに分かれる。

□**概念的**スキルの困難性

言語発達：言語理解，言語表出能力など

学習技能：読字，書字，計算，推論など

□**社会的スキル**の困難性

対人スキル：友達関係など

社会的行動：社会的ルールの理解，集団行動など

□**実用的スキル**の困難性

日常生活習慣行動：食事，排泄せつ，衣服の着脱，清潔行動など

ライフスキル：買い物，乗り物の利用，公共機関の利用など

4 知的障害の原因

病理型と生理型に大別される。

□【　**病理型**　】…胎児期や出生後の栄養摂取や事故など，外因性の原因。

□【　**生理型**　】…知能に関する多遺伝子の組み合わせによる。

□**病理型**の知的障害は中度から重度である場合が多く，**生理型**の知的障害は軽度である場合が多い。

5 知的障害の病理的原因

上記の病理型の原因について，もう少し掘り下げてみよう。難解な用語が多いが，こういうものがあるということを知っておけばよい。

●代謝異常

□【 フェニールケトン尿症 】…フェニールアラニンとその代謝物が脳に異常蓄積し，知的障害を引き起こす遺伝疾患。

□【 レシュ・ナイハン症候群 】…体内で過量の尿酸が排せつされる。伴性劣性遺伝病の一種。発症はほぼ男性に限られる。

●染色体異常

□【 アンジェルマン症候群 】…**15番染色体**の欠損による。知的発達の遅れのほか，言語障害，歩行失調，笑い発作などが伴う。

□【 ウィリアムズ症候群 】…**7番染色体**の一部欠損による。視空間に関連する課題の遂行に支障が生じる。

□【 クラインフェルター症候群 】…性染色体異常の一つ。男性にのみ起こる。男性ホルモンが少ないので，第二次性徴期を迎えても男性的な体にならない。

□【 ターナー症候群 】…性染色体異常の一つ。女性にのみ起こる。知的発達の遅れのほか，低身長を特徴とする。

□【 ダウン症 】…**21番染色体**の過剰によって起きる成長や発達の障害。知的発達の遅れや，心疾患などの合併症を伴う。

□【 プラダー・ウィリー症候群 】…15番染色体の部分異常による。知的発達の遅れのほか，筋緊張低下，肥満などが特徴。

●出生後の外因

□【 クレチン病 】…甲状腺ホルモンの分泌が不十分になること。皮膚の乾燥，発汗減少に加えて，知的障害が生じることもある。

□【 結節性硬化症 】…生後直後から皮膚に白いアザ(白斑)ができる。学齢期になると，顔に血管線維腫が出てくる。

□【 てんかん 】…脳の神経細胞の過剰な興奮が突発し，諸々の脳機能の障害が生じる。

□【 レノックス・ガストー症候群 】…難治性のてんかん。運動障害や知的障害を伴う。

6 知的障害の状態の把握

心理学的，教育的側面からの把握の仕方についてよく問われる。文部科学省『障害のある子供の教育支援の手引』（2021年）による。

●**発達の状態等に関すること**

□**身辺自立**：食事，排せつ，着替え，清潔行動（手洗い，歯磨き等）などの日常生活習慣行動について把握する。

□**社会生活能力**：買い物，乗り物の利用，公共機関の利用などのライフスキルについて把握する。

□**社会性**：社会的ルールの理解，集団行動などの社会的行動や対人関係などの対人スキルについて把握する。

□**学習技能**：読字，書字，計算，推論などの力について把握する。

□**運動機能**：協調運動，運動動作技能，持久力などについて把握する。

□意思の**伝達能力**と手段：言語の理解と表出の状況及びコミュニケーションの手段などについて把握する。

●**本人の障害の状態等に関すること**

□**学習意欲**，学習に対する取組の姿勢や学習内容の習得の状況

□**自立**への意欲

・自分で周囲の状況を把握して，行動しようとするか。

・周囲の状況を判断して，自分自身で安全管理や**危険回避**ができるか。

・自分でできることを，他者に**依存**していないか。

・周囲の**支援**を活用して，自分のやりたいことを実現しようとするか。

□**対人関係**

□**身体**の動き

・**粗大**運動が円滑にできているか。

・微細運動が円滑にできているか。

・目と手の**協応動作**が円滑にできているか。

□自己の**理解**

・学習上又は生活上の困難を改善・克服しようとする**意欲**をもっているか。

・自分のできないこと・できることについての**認識**をもっているか。

・自分のできないことに関して，教師や友達の**支援**を適切に求めることができるか。

テーマ 38

● 障害の理解

知的障害のある子どもの特性と教育的対応

頻出度 B

ここが出る!

- 知的障害のある子どもの学習上の特性として，どのようなことが挙げられるか。
- 知的障害のある子どもに教育的対応をするに際して，どのようなことに留意すべきか。

『特別支援学校小学部・中学部学習指導要領(各教科編)』にて，知的障害のある子どもの学習上の特性について言及されている。

1 学習上の特性

知識や技能が**断片的**になりやすいこと，成功経験が少ないことが挙げられる。それを踏まえ，**具体的・段階的**な指導を行い，伸びた分だけ褒めたたえ自信を持たせる。

● **知識や技能の習得について**

□知的障害のある児童生徒の学習上の特性としては，学習によって得た知識や技能が**断片的**になりやすく，実際の生活の場面の中で生かすことが難しいことが挙げられる。

□そのため，実際の生活場面に即しながら，繰り返して学習することにより，必要な知識や技能等を身に付けられるようにする継続的，**段階的**な指導が重要となる。

□児童生徒が一度身に付けた知識や技能等は，着実に**実行**されることが多い。

● **成功経験の少なさ**

□**成功経験**が少ないことなどにより，主体的に活動に取り組む意欲が十分に育っていないことが多い。

□そのため，学習の過程では，児童生徒が頑張っているところやできたところを細かく認めたり，**称賛**したりすることで，児童生徒の**自信**や主体的に取り組む意欲を育むことが重要となる。

● **指導の留意点**

□抽象的な内容の指導よりも，実際的な**生活場面**の中で，**具体的**に思考や判断，表現できるようにする指導が効果的である。

2 教育的対応の基本

知的障害児への教育的基本の対応として，10の項目が挙げられている。

- □児童生徒の知的障害の状態，生活年齢，**学習状況**や経験等を考慮して**教育的ニーズ**を的確に捉え，育成を目指す資質・能力を明確にし，指導目標を設定するとともに，指導内容のより一層の**具体化**を図る。
- □望ましい**社会参加**を目指し，日常生活や社会生活に生きて働く知識及び技能，**習慣**や学びに向かう力が身に付くよう指導する。
- □**職業教育**を重視し，将来の職業生活に必要な基礎的な知識や技能，態度及び**人間性**等が育つよう指導する。その際に，多様な**進路**や将来の生活について関わりのある指導内容を組織する。
- □生活の課題に沿った多様な**生活経験**を通して，日々の生活の質が高まるよう指導するとともに，よりよく生活を**工夫**していこうとする意欲が育つよう指導する。
- □**自発的**な活動を大切にし，主体的な活動を促すようにしながら，課題を解決しようとする思考力，**判断力**，表現力等を育むよう指導する。
- □児童生徒が，自ら**見通し**をもって主体的に行動できるよう，日課や学習環境などを分かりやすくし，規則的で**まとまり**のある学校生活が送れるようにする。
- □**生活**に結びついた具体的な活動を学習活動の中心に据え，実際的な状況下で指導するとともに，できる限り児童生徒の**成功経験**を豊富にする。
- □児童生徒の興味や関心，**得意**な面に着目し，教材・教具，補助用具やジグ等を工夫するとともに，目的が達成しやすいように，**段階的**な指導を行うなどして，児童生徒の学習活動への**意欲**が育つよう指導する。
- □児童生徒一人一人が集団において**役割**が得られるよう工夫し，その活動を遂行できるようにするとともに，活動後には充実感や達成感，**自己肯定感**が得られるように指導する。
- □児童生徒一人一人の**発達**の側面に着目し，意欲や意思，情緒の不安定さなどの課題に応じるとともに，児童生徒の**生活年齢**に即した指導を徹底する。

知的障害のある子どもへの特別な指導内容

頻出度 B

ここが出る!

- **知的障害のある子どもの場合，指導内容も独自のものとなる。学習指導要領解説で示されている8つの事項を知っておこう。**
- **概念形成，動作の基本的技能，コミュニケーションに関する事項の出題頻度が高い。**

知的障害のある子どもへの特別な指導内容として，文部科学省「障害のある子供の教育支援の手引」(2021年)にて，8つの項目が挙げられている。

1 知的障害のある子どもへの特別な指導内容

全部で8つある。空欄補充の問題がよく出る。

□障害による学習上又は生活上の困難を改善・克服する**意欲**に関すること(①)。
□**自己**の理解と行動の**調整**に関すること(②)。
□**感覚**を総合的に活用した周囲の状況についての把握と状況に応じた行動に関すること(③)。
□認知や行動の手掛かりとなる**概念**の形成に関すること(④)。
□**姿勢**と**運動**・動作の基本的技能に関すること(⑤)。
□作業に必要な動作と**円滑**な遂行に関すること(⑥)。
□**コミュニケーション**の基礎的能力に関すること(⑦)。
□コミュニケーション手段の**選択**と活用に関すること(⑧)。

2 詳細な説明

上記のいくつかの事項について，詳細な説明の文章を引用する。⑤と⑦に関する文章がよく出題されている。

●①について

□知的障害のある子供は，**コミュニケーション**が苦手で，人と関わることに消極的になったり，**受け身**的な態度になったりすることがある。
□このことの要因としては，**音声言語**が不明瞭だったり，相手の言葉が理解できなかったりすることに加えて，**失敗経験**から人と関わることに自信がもてなかったり，周囲の人への**依存心**が強かったりすることなどが考えられる。

□そのため，まずは自分の考えや要求が伝わったり，相手の意図を受け止めたりする**双方向**のコミュニケーションが成立する**成功体験**を積み重ねることができるように指導することが必要である。

●④について

□知的障害のある子供は，概念を形成する過程で，必要な**視覚情報**に注目することが難しかったり，**読み取り**や理解に時間がかかったりすることがある。

□そこで，興味や関心のあることや生活上の場面を取り上げ，**実物**や写真などを使って見たり読んだり，理解したりできるようにすることで，確実に**認知**や行動の手掛かりとなる**概念**の形成につなげていくように指導することが大切である。

●⑤について

⏱□知的障害のある子供は，**知的発達**の状態等に比較して，着替えにおけるボタンの**着脱**やはさみなどの道具の操作などが難しいことがある。

⏱□このことの要因としては，手指の**巧緻性**などの運動面の困難さや，課題に集中して取り組む**持続性**の困難さなどの他，目と手の協応動作などの**認知面**の課題，あるいは日常生活場面等における**経験不足**などが考えられる。

□このような場合には，**道具**等の使用に慣れていけるよう，興味や関心がもてる内容や課題を工夫し，使いやすい適切な道具や素材を用いて指導することが大切である。

●⑦について

⏱□知的障害のある子供は，自分の気持ちや**要求**を適切に相手に伝えられなかったり，相手の**意図**が理解できなかったりして**コミュニケーション**が成立しにくいことがある。

⏱□そこで，自分の気持ちを表した**絵カード**を使ったり，簡単な**ジェスチャー**を交えたりするなど，要求を伝える手段を広げることができるように指導することが必要である

テーマ 40 ● 障害の理解

肢体不自由の概念と疾患

ここが出る!

- **肢体不自由とは何か。分類としてどのようなものがあるか。難しい漢字も出てくる。**
- **肢体不自由の原因として，医学的にはどのようなものが考えられるか。脳性まひについて重点的に知っておこう。**

1 肢体不自由とは

定義と大まかな分類を押さえよう。文部科学省「障害のある子供の教育支援の手引」（2021年）を参照。

●定義

□肢体不自由とは，**身体**の動きに関する器官が，病気やけがで損なわれ，**歩行**や筆記などの**日常生活**動作が困難な状態をいう。

□医学的には，発生原因のいかんを問わず，**四肢体幹**に永続的な障害があるものを，肢体不自由という。

●分類

□形態的側面としては，先天性のものと，生後，事故などによる**四肢切断**等ある。また，関節や**脊柱**が硬くなって拘縮や脱臼・変形を生じているものがある。

□中枢神経の損傷による脳性まひを主とした**脳原性疾患**が多く見られる。この場合，肢体不自由の他に，**知能**の発達の遅れやてんかん，**言語障害**など，種々の随伴障害を伴うことがある。

□脊髄疾患として，**二分脊椎**等がある。二分脊椎は，主として両下肢と体幹の運動と知覚の障害，直腸・膀胱の障害が見られ，しばしば**水頭症**を伴う。

□末梢神経の疾患による**神経性筋萎縮**があり，さらに筋疾患として，**進行性筋ジストロフィー**などがある

□他に骨・関節の疾患として外傷後遺症や**骨形成不全症**などがあるが，出現の頻度は高くない。

□現在，特別支援学校（肢体不自由）では，**脳原性**疾患の子供が大半を占めるようになっている。

2 心理学的，教育的側面からみた肢体不自由

□肢体不自由のある子供は，上肢，**下肢**又は体幹の運動・姿勢の障害のため，**起立**，歩行，階段の昇降，いすへの腰掛け，物の持ち運び，机上の物の取扱い，書写，食事，衣服の着脱，整容，**用便**など，日常生活や学習上の運動・**姿勢**の全部又は一部に困難がある。

□これら運動・姿勢には，起立・歩行のように主に**下肢**や平衡反応を中心とした**姿勢変換**あるいは移動にかかわるもの，学習時や作業時における座位保持のように体幹を中心とした**姿勢保持**にかかわるもの，書写・食事のように主に上肢や目と手の**協応動作**にかかわるもの，物の持ち運び・衣服の着脱・用便のように**身体全体**にかかわるものがある。

□運動・姿勢の困難は，**姿勢保持**の工夫と運動・姿勢の**補助的手段**の活用によって軽減されることが少なくない。

3 脳性まひ

肢体不自由の原因の大半は，**脳性まひ**といわれる。

●脳性まひの定義

□受胎から**新生児**(生後 4 週以内)までの間に生じた，脳の**非進行性病変**に基づく，**永続的**な，しかし変化しうる運動および姿勢の異常である。その症状は満 2 歳までに発現し，進行性疾患や一過性運動障害，または将来正常化するであろうと思われる運動発達遅延は除外する。(厚生省研究班，1968年)

□脳性まひという用語は，医学的診断名というより，むしろ**状態像**を表すものである。

●原因の発生と症状

□原因発生の時期は，**周産期**が多く，出生前と出生後の場合もある。生後の発生は，後天性疾患や**脳外傷**等によるものである。

□**脳性まひ**の症状は，発育・発達につれて変化するが，小学校及び小学部高学年の時期に達する頃には，ほぼ固定してくる。

□主な症状の一つとして，**筋緊張**の異常，特に亢進あるいは低下とその変動を伴う**不随意**運動が見られる。

□合目的的運動をしようと意識するときに現れてくる不随意運動(**アテトーゼ**運動)は，幼児期から出現してくる。

●脳性まひの病型

□【　痙直型　】…手や足，特に足のふくらはぎの筋肉等に痙性（けいせい）が見られ，円滑な運動が妨げられているもの。「痙性」とは，伸張反射が異常に**亢進**した状態であり，素早く他動的にその筋肉を引き伸ばすと抵抗感を生じる。

□【　アテトーゼ型　】…頸部と上肢に不随意運動がよく見られ，下肢にもそれが現れるもの。特徴として，運動発達では，頸の座りや座位保持の獲得の遅れが見られる。

□【　失調型　】…バランスをとるための平衡機能の障害と運動の微細なコントロールのための調節機能の障害を特徴とする。平衡機能の障害により，座位や立位のバランスが悪い状態で，安定させるために足を大きく開いて立位をとる。

□【　固縮型　】…上肢や下肢を屈伸する場合に，鉛の管を屈伸するような抵抗感があるもので，四肢まひに多い。

□脳性まひでは**痙直型**が多数を占めているが，痙直型とアテトーゼ型の**混合型**も見られる。

●痙直型（痙性まひ）の分類

□【　痙性両まひ　】…両下肢の痙性まひが，両上肢より強いもの。

□【　痙性四肢まひ　】…両上肢と両下肢ともに痙性まひが強いもの。

□【　痙性片まひ　】…片側の上肢と同側の下肢にまひのあるもの。

4 筋ジストロフィー

●定義

□【　筋ジストロフィー　】…進行性疾患で，筋力が次第に低下して運動に困難が生じる。呼吸筋の筋力低下によって呼吸も困難になる。

□筋ジストロフィーは，**遺伝性**の疾患である。

●類型

□【　デュシェンヌ型　】…４，５歳以前に発病。ぎこちない歩行などから気づかれる。筋委縮が顕著となり，歩行ができなくなり，10歳頃で車いす生活となる。筋ジストロフィーの中で最も多い。

□【　ベッカー型　】…症状はデュシェンヌ型とほぼ同じであるが，発症時期が遅い。経過は緩慢。

□【　福山型　】…先天型であり，乳児期早期から筋緊張低下，筋力低下がみられる。

□【　筋強直性型　】…先天型と成人型に分かれる。前者では，出生時から著しい筋力低下がみられる。

□デュシェンヌ型とベッカー型は，**男子**のみで発症する。

5 二分脊椎

●概念

□【　二分脊椎　】…先天性の脊髄形成異常により，両下肢の神経と筋のまひが起こるもの。

□**膀胱直腸障害**が伴い，脳に合併症が起こりやすい。

□**水頭症**や知的障害を合併することもある。

●２つのタイプ

□【　嚢胞性二分脊椎　】…脊柱管の内容物が背中から出ているもの。髄膜や神経組織のヘルニアを伴う。症状が重い。

□【　潜在性二分脊椎　】…上記のような症状がないもの。

6 原始反射

乳児にもともと備わっている**原始反射**である。

□【　モロー反射　】…頭を少し持ち上げ，支えている手を急に離して頭を背屈させると，両腕を広げ，何かに抱きつくような動作をみせる。

□【　パラシュート反射　】…体が前方に倒れそうになった時，手を広げ，腕を伸ばして支えようとする。

□【　非対称性緊張性頸反射　】…顔を横に向けたとき，向けた側の手足は伸展し，反対側の手足が曲がること❶。

□【　緊張性迷路反射　】…うつ伏せでは体や四肢が丸まりやすくなり，仰向けでは体や四肢が伸びやすくなり背中が反る。

□【　交叉性伸展反射　】…片方の足裏を刺激すると，反対側の下肢が伸展する。

□【　吸てつ反射　】…口の中に指を入れると強く吸いつく。

□【　手掌把握反射　】…手掌に触れたものを握る。

□【　探索反射　】…唇の周辺に何かが触れると，その方向に顔を向けて口を開ける。

❶乳児に備わっている原始反射であるが，脳性まひ児の場合，学齢期になっても残存する。

テーマ 41

● 障害の理解

肢体不自由児教育における合理的配慮

ここが出る!
- **合理的配慮は，①教育内容・方法，②支援体制，③施設・設備の３本柱からなる。肢体不自由児の場合，具体的にどういう配慮をすべきか。**
- **理学療法士(PT)，作業療法士(OT)，言語聴覚士(ST)等の助言を活用する。名称とアルファベットの略称を覚えること。**

1 教育内容・方法

文部科学省「障害のある子供の教育支援の手引」（2021年）の記載事項である。

●教育内容

□**学習**上又は生活上の困難を改善・克服するための配慮

・道具の操作の困難や**移動**上の制約等を改善できるように指導を行う。**片手**で使うことができる道具の効果的な活用，校内の移動しにくい場所の移動方法について考えること及び実際の移動の支援等。

□学習内容の**変更**・調整

・上肢の不自由により時間がかかることや活動が困難な場合の学習内容の変更・**調整**を行う。書く時間の**延長**，書いたり計算したりする量の**軽減**，体育等での運動の内容を変更等。

●教育方法

□情報・コミュニケーション及び**教材**の配慮

・書字や計算が困難な子供に対し**上肢**の機能に応じた教材や機器を提供する。書字の能力に応じたプリント，計算ドリルの学習に**パソコン**を使用，話言葉が不自由な子供にはコミュニケーションを支援する機器（文字盤や**音声出力型**の機器等）の活用等。

□学習機会や**体験**の確保

・経験の不足から理解しにくいことや移動の困難さから参加が難しい活動については，**一緒**に参加することができる手段等を講じる。新しい単元に入る前に新出の語句や未経験と思われる活動のリストを示し予習できるようにする，**車いす**使用の子供が栽培活動に参加できるよう高い位置に花壇を作る等。

□**心理面**・健康面の配慮

・下肢の不自由による**転倒**のしやすさ，車いす使用に伴う健康上の問題等を踏まえた支援を行う。体育の時間における膝や肘の**サポーター**の使用，長距離の移動時の**介助者**の確保，車いす使用時に必要な１日数回の**姿勢**の変換及びそのためのスペースの確保等。

2 支援体制

⏱□**専門性**のある指導体制の整備

・体育担当教員，養護教諭，栄養職員，**学校医**を含むサポートチームが教育的ニーズを把握し支援の内容方法を検討する。必要に応じて特別支援学校からの支援を受けるとともに**理学療法士**(PT)，作業療法士(OT)，**言語聴覚士**(ST)等の指導助言を活用する。**医療的ケア**が必要な場合には主治医，看護師等の医療関係者との連携を図る。

□子供，教職員，保護者，地域の**理解啓発**を図るための配慮

・移動や日常生活動作に制約があることや，移動しやすさを確保するために協力できることなどについて，周囲の子供，教職員，保護者への**理解啓発**に努める。

□**災害時**等の支援体制の整備

・移動の困難さを踏まえた避難の方法や体制及び避難後に必要となる支援体制を整備する。**車いす**で避難する際の経路や人的体制の確保，移動が遅れる場合の対応方法の検討，避難後に必要な支援の一覧表の作成等。

3 施設・設備

□校内環境のバリアフリー化

・車いすによる移動や**つえ**を用いた歩行ができるように，教室配置の工夫や施設改修を行う。段差の解消，**スロープ**，手すり，開き戸，自動ドア，エレベーター，**障害者用トイレ**の設置等。

□発達，障害の状態及び特性等に応じた指導ができる施設・設備の配慮

・上肢や下肢の動きの制約に対して施設・設備を工夫又は改修するとともに，**車いす**等で移動しやすいような空間を確保する。

□災害時等への対応に必要な施設・設備の配慮

・移動の困難さに対して**避難経路**を確保し，必要な施設・設備の整備を行うとともに，災害等発生後の必要な物品を準備する。

テーマ 42
● 障害の理解

肢体不自由児の指導

ここが出る!

- **指導に際して，念頭におくべき基本事項を押さえよう。困難の評価の方法と，心理的支援が重要だ。**
- **肢体不自由児の指導内容についてよく問われる。生活経験の拡大を図ること，ICT，AT，補助用具の活用に関する指導がポイント。**

1 基本事項

□肢体不自由のある子供の**運動・姿勢**の困難の状態は，一人一人異なっているので，その評価に当たっては，学習上又は生活上においてどのような困難があるのか，それは**補助的手段**の活用によってどの程度軽減されるのかといった点から，具体的に把握していくことが必要である。

□また，運動・姿勢に関する支援に加えて，肢体不自由のある子供の**心理的側面**への支援が必要である。

□自分でできること，支援によってできること，できないことへの認識を育て，障害の**受容**につなげていき，そして自立と**社会参加**へ向けての支援につなげていくことが重要である。

2 肢体不自由のある子どもに必要な指導内容

文部科学省「障害のある子供の教育支援の手引」（2021年）で6つ挙げられている。

●姿勢に関すること

□学習に対する興味や関心，意欲を高め，**集中力**や活動力をより引き出すためには，あらゆる運動・**動作**の基礎となる臥位，**座位**，立位などの姿勢づくりに積極的に取り組むことが必要である。

●保有する感覚の活用に関すること

□肢体不自由のある子供の場合は，保有する視覚，**聴覚**，触覚，嗅覚，固有覚，**前庭覚**などの感覚を有効に活用することが困難な場合がある。

□特に，障害が重度で**重複**している場合，視覚，聴覚，触覚と併せて，姿勢の変化や筋，関節の動きなどを感じ取る**固有覚**や，重力や動きの速度を感じ取る**前庭覚**を活用できるように，適切な内容を選択し，丁寧に指導する必要がある。

□脳性まひ等のある肢体不自由のある子供の場合は，**筋緊張**等によって身体からの感覚情報をフィードバックして，行動したり，表現したりすることに困難が生じやすいため，注視，**追視**，協応動作等の困難が見られる。

● **基礎的な概念の形成に関すること**

□肢体不自由のある子供は，身体の動きに困難があることから，様々なことを**体験**する機会が不足したまま，言葉や知識を習得していることがあり，言葉を知っていても意味の理解が不十分であったり，**概念**が不確かなまま用語や数字を使ったりすることがある。

□そのため，**具体物**を見る，触れる，数えるなどの活動や，実物を観察する，測るなどの**体験的**な活動を取り入れ，感じたことや気付いたこと，特徴などを**言語化**し，言葉の意味付けや**言語概念**，数量などの基礎的な**概念**の形成を的確に図る指導内容が必要である。

● **表出・表現する力に関すること**

□上肢の障害のために，**書字**動作やコンピュータ等の操作に困難が伴う場合がある。

□そのためICTや**AT**(Assistive Technology)などを用いて，入出力装置の開発や活用を進め，子供一人一人の障害の状態等に応じた適切な補助具や**補助的手段**を工夫しながら，**主体的**な学習活動ができるような指導内容を取り上げる必要がある。

● **健康及び医療的なニーズへの対応に関すること**

□障害の状態等が重度である子供の多くが，健康状態が安定していなかったり，体力が弱かったり，**感染症**への配慮が必要だったり，**生命活動**が脆弱であったりする。

□そのため，保護者や主治医，看護師等と密接な**連携**を図り，**関節**の拘縮や変形の予防，**筋力**の維持･強化，呼吸や**摂食機能**の維持･向上など，に対応するための指導内容にも継続的に取り組むことが必要である。

● **障害の理解に関すること**

□**中途障害**も含め肢体不自由のある子供の場合，障害を理解し，自己を確立し(自己理解，自己管理，**自己肯定感**等)，障害による学習上又は生活上の困難を改善･**克服**する意欲を高めるような指導内容を選択し，関連付けた指導を進めることが必要である。

テーマ 43

● 障害の理解

病弱・身体虚弱の概念と疾患

ここが出る! ▶▶

- **病弱・身体虚弱の主な疾患を押さえよう。疾患の名称と概要文を対応させる問題が多い。**
- **糖尿病とてんかんについては，詳しく知っておこう。糖尿病の種類と，てんかん発作の分類が頻出である。**

1 病弱・身体虚弱の概念

文部科学省「教育支援資料」(2013年)を参照。

●病弱

□病弱とは，医学用語ではなく一般的な用語であるが，学校教育においては，**心身の病気**のため継続して又は繰り返し医療又は**生活規制**(生活の管理)を必要とする状態を表す際に用いられている。

□ここでいう生活規制とは，入院生活上又は**学校生活**，日常生活上で留意すべきこと等であり，例えば**健康**の維持や回復・改善のために必要な**服薬**や，学校生活上での安静，食事，**運動**等に関して留意しなければならない点などがあることを指す。

●身体虚弱

□身体虚弱とは，身体が弱いという状態を表す。身体虚弱も医学用語ではなく，一般的な用語であり，学校教育においては，病気とは直接は関係なく不調な状態が続く，**病気**にかかりやすいなどのため，持続的に**生活規制**を必要とする状態を表す用語である。

3 主な疾患

代表的なものを紹介する。文部科学省『障害のある子供の教育支援の手引』(2021年)を参照。糖尿病とてんかんは，章を改めて詳述する。

●悪性新生物

□【　白血病　】…血液の製造所である骨髄で異常な未熟白血球が増殖し，その浸潤により，正常造血機能の抑制を来す病気。子供には急性リンパ性白血病が多い。

●腎臓病・気管支喘息

□【　ネフローゼ症候群　】…大量の蛋白尿により血清蛋白が減少(低蛋

白血症)する疾患で，むくみを認めることが多い。

□【　気管支喘息　】…気道の慢性的な炎症によって反応性が高まり，種々の刺激により気管支平滑筋の収縮，粘膜の腫れ，分泌物の増加による痰の貯留などを来し，発作性に咳や喘鳴(ゼーゼー，ヒューヒュー)を伴う呼吸困難を繰り返す疾患。

●心臓病・血友病

□【　心筋症　】…主に，心臓の筋肉(心筋)が薄くなっていく拡張型心筋症と，心筋が厚くなっていく肥大型心筋症がある。

□【　川崎病　】…発熱，目の充血，イチゴ舌，頸部リンパ節の腫脹，発疹，四肢の浮腫などを主要症状とする原因不明の疾患。

□【　血友病　】…血液の凝固をつかさどる凝固因子を正常に作れない遺伝性の病気であり，皮下，外傷，手足の関節，筋肉，歯肉，頭蓋内に出血しやすく，また，出血すると，なかなか止まりにくいことが主な症状。

●アレルギー疾患

□【　アトピー性皮膚炎　】…かゆみのある湿疹が慢性的に持続する病気。

●整形外科的疾患

□【　二分脊椎症　】…妊娠初期に何らかの原因で胎児の脊椎骨の形成が阻害され，脊椎管の後部が開いたままの状態となり，脊髄がはみ出して腰部の瘤となって現れる(開放性二分脊椎)。

□【　骨形成不全症　】…全身の結合組織疾患であり，骨，歯，皮膚，靱帯，腱，筋膜，眼の強膜などに弱さがみられる。

□【　ペルテス病　】…何らかの影響によって大腿骨頭の血流が遮断され，その結果栄養が十分に行き渡らなかったため，大腿骨頭が部分的に壊死して，つぶれた状態になり，股関節の疼痛と跛行を伴う。

●心身症

□【　摂食障害　】…神経性食欲不振症あるいは神経性無食欲症と神経性過食症あるいは神経性大食症を包括するもの。

●時代による変化

□特別支援学校(病弱)においては，**気管支喘息**や腎炎，ネフローゼ等の児童生徒は少なくなり，**精神疾患**・心身症が最も多くなっている。

□これらの児童生徒の多くは，二次的な障害でもある**不登校**を経験している。

□精神疾患・心身症に次いで多いのは，**てんかん**・筋ジストロフィー等の脳・神経・筋疾患で，その次に多いのは小児がん等の**悪性新生物**となっている（全国病弱虚弱教育研究連盟の調査，2020年）。

4 糖尿病

●**定義**

□糖尿病は，**インスリン**という膵臓から分泌されるホルモンの不足のため，ブドウ糖をカロリーとして細胞内に取り込むことのできない**代謝異常**である。

●**分類**

□大きく分けると，**1型糖尿病**（若年型糖尿病），**2型糖尿病**（成人型糖尿病），続発性糖尿病（二次性糖尿病）がある。子どもの場合には**1型**が大部分であるが，2型も増加傾向にある。

●**症状**

□初期の症状としては，多飲，**多尿**などで始まり，高血糖が顕著になると痙攣や意識障害を来す場合もある。

□1型糖尿病では，**インスリン**の分泌が高度に低下するため，継続して定期的に**インスリン**を注入する必要がある。そのため発達の段階等に応じて，子供が自ら血糖値測定や**注射**等を行うことができるようにする。

●**治療**

□正確な**食事療法**と運動療法が大切なので，主治医に指示された食事や運動に関する注意点をきちんと守るように指導する必要がある。

□1型糖尿病は生涯にわたり**インスリン注射**を必要とするので，精神的な支援が重要である。

5 てんかん

●**定義**

□てんかんは，発作的に脳の神経細胞に異常な**電気的興奮**が起こり，その結果，意識，運動，**感覚**などの突発的な異常を来す病気であり，発作型は大きく**部分発作**と全般発作に分けられる。

●**緊急対応を要する発作**

□**全身性**の強直や間代を伴う痙攣がこれに該当する。

□発作は，最初から全身の痙攣を来す全身性強直間代発作（**大発作**）や片方の手のぴくぴくした動きなど（**部分発作**）から始まって全身痙攣に至ることもある（**二次性全般化発作**）。

□発作中は**呼吸**がしにくくなるため，衣服を緩めて呼吸がしやすい体位を取らせる。また顔を横に向けるなどして，痰がのどに詰まらないようにする。

●危険を排除しながら見守るのが中心の発作

□手足の一側だけなど身体の一部だけの痙攣（**部分発作**）や，短時間身体を固くさせるだけの発作で意識が保たれている場合，ボーッとして意識がはっきりしない状態になるだけの発作（**欠神発作**，複雑部分発作）の場合などでは，刺激しないように配慮しつつ発作が収まる（終わる）のを待つ。

6 食物アレルギー

●定義

□食物アレルギーは，特定の**食物**を摂取することにより**アレルギー**反応を介して皮膚・呼吸器・消化器あるいは**全身性**に症状を示す病気である。

●症状

□学齢期に見られるのはほとんどが**即時型**と呼ばれる病型で，原因食品を食べて 2 時間以内に症状が出現する。その症状はじんましんのような軽い症状から，生命の危険を伴う**アナフィラキシーショック**に進むものまで様々である。

□原因食物は，鶏卵，**乳製品**が大半であるが，それ以外も甲殻類，ソバ，果物類，魚類，**ピーナッツ**，軟体類，木の実類などがある。血液検査だけでは診断できず，過去の症状誘発のエピソードや医療機関での経口負荷試験結果なども参考にして判断される。

●対応

□じんましんなどの軽い症状に対しては**抗ヒスタミン薬**，ステロイド薬の内服や経過観察により回復するが，呼吸困難やショックなどの重篤な症状に対してはアドレナリン自己注射薬（**エピペン**）を早期に注射する必要がある。

テーマ 44

● 障害の理解

病弱・身体虚弱児の指導①

ここが出る! ▶▶

- **病弱・身体虚弱児への特別な指導内容には，どのようなものがあるか。公的資料で挙げられている6つを押さえよう。**
- **最も重要なことは，自己管理能力を育むことだ。生活規制にしても，主体的な「生活の自己管理」と捉える必要がある。**

1 病弱・身体虚弱の子供に対する特別な指導内容

以下の6つが挙げられている。文部科学省『障害のある子供の教育支援の手引』（2021年）による。

□病気等の状態の理解と**生活管理**に関すること（①）。
□**情緒**の安定に関すること（②）。
□病気等による学習上又は生活上の困難を改善・克服する**意欲**に関すること（③）。
□**移動能力**や移動手段に関すること（④）。
□**コミュニケーション**手段の選択と活用に関すること（⑤）。
□表出・**表現**する力の育成（⑥）。

2 病気等の状態の理解と生活管理に関すること

上記の①についてである。キーワードは，**自己管理能力**だ。

□病弱教育では，病気等の**自己管理能力**を育成することは重要な指導内容の一つである。

□そのため，病弱・身体虚弱の子供にとって必要な**生活規制**とは，他人からの規制ではなく「生活の自己管理」と考えて取り組むことが大切である。

□また，「生活の**自己管理**」をする力とは，運動や安静，食事などの日常の諸活動において，必要な**服薬**を守る力，自身の病気等の特性等を理解した上で心身の状態に応じて参加可能な活動を判断する力（自己選択・**自己決定力**），必要なときに必要な**支援**・援助を求めることができる力であり，それらを育成することが必要である。

3 その他の事項の補説

②～⑥については，簡潔に補足する。

●②について

□療養中は治療の副作用による貧血や嘔吐などが長期間続く場合があり，情緒が**不安定**な状態になることがある。

□治療計画によっては，入院と退院を繰り返すことがあり，感染予防のため退院中も学校に登校できないことがある。このような場合には，Web**会議**システム等を活用して学習に対する不安を**軽減**するような指導を工夫することが大切である。

●③について

□卒業後も視野に入れながら学習や運動において打ち込むことができることを見つけ，それに取り組むことにより，**生きがい**を感じることができるよう工夫し，少しでも困難を改善しようとする**意欲**の向上を図る指導が大切である。

●④について

□**心臓疾患**のある子供の場合，医師の指導を踏まえ，病気等の状態や移動距離，活動内容によって適切な**移動手段**を選択し，心臓に過度の負担をかけることなく移動の範囲が維持できるよう指導することが大切である。

●⑤について

□**進行性**の病気の子供の場合，症状が進行して言葉による表出が困難になることがある。

□それに対する**心のケア**に留意するとともに，コミュニケーション手段を本人と一緒に考え，**自己選択**・自己決定の機会を確保しながら**コミュニケーション**手段を活用する力を獲得して行くことも大切である。

●⑥について

□病気等により，書字動作や**コンピュータ**等の操作に困難が伴う場合がある。

□そのためICTやAT(Assistive Technology：支援技術)など入出力装置を適宜活用し，子供一人一人の病気等の状態等に応じた補助用具を工夫しながら，**主体的**な学習活動ができるような指導内容を取り上げる必要がある。

テーマ 45

● 障害の理解

病弱・身体虚弱児の指導②

頻出度 C

ここが出る! ▶▶

- **病弱・身体虚弱児の事情を踏まえ，指導の内容は精選する。不要な重複は避ける，合科指導，教科横断的な指導等である。**
- **テクノロジーを活用した同時双方向型授業配信，ICT等による自宅学習により，指導要録上出席扱いと認めることもできる。**

1 指導内容の精選等

『特別支援学校学習指導要領解説・各教科等編(小・中学部)』の記載事項である。

□病弱者である児童生徒は入院や治療，体調不良等のため学習時間の制約や学習できない期間(学習の空白)などがあるため学びが定着せず，学習が遅れることがある。

□具体的な指導内容は**児童生徒の実態等を踏まえて決定**するものなので，学習時間の制約等がある場合には，基礎的・基本的な事項を習得させる視点から指導内容を精選するなど，効果的に指導する必要がある。

□また，各教科の目標や内容との関連性を検討し不必要な重複を避ける，各教科を合わせて指導する，教科横断的な指導を行うなど，他教科と関連させて指導することも大切である。

□病弱者である児童生徒の中には，前籍校と教科書や学習進度が違ったり学習の空白があったりするため，学習した事項が断片的になる，学習していない，学習が定着していないといったことがある。

□そのため，前籍校との連携を密にするとともに，各教科の学年間での指導内容の繋がりや指導の連続性にも配慮して指導計画を作成する必要がある。

2 指導要録上の出欠の取扱い等

文部科学省通知「小・中学校等における病気療養児に対するICT等を活用した学習活動を 行った場合の指導要録上の出欠の取扱い等について」(2023年6月)による。

□病気療養児に対する教育の一層の充実を図るため、小・中学校等において**同時双方向**型授業配信を行った場合，校長は，指導要録上**出席扱い**とすることができる。

□病気療養児が，病院や自宅等においてICT等を活用した学習活動を行った場合，校長は，指導要録上**出席扱い**とすること及びその成果を評価に反映することができることとする❶。

3 教育の場と提供可能な教育機能

●総説

□病弱・身体虚弱の子供の学校や学びの場には，小中学校等の**通常**の学級，**通級**による指導，**特別支援学級**，特別支援学校がある。

□病弱児の**就学先**や学ぶ場を決定するに当たっては，病気の状態だけでなく，日々大きく**変動**する病状の変化や治療の見通し，関係する**医療機関**の施設・設備の状況，教育との連携状況，教育上必要な支援の内容，地域における教育体制の状況その他の事情を勘案して判断することが必要である。

□近年は，入院の**短期化**や，退院後も引き続き配慮や**支援**を必要とする子供の増加，**繰り返し入院**する子供の増加，**心身症**やうつ病等の精神疾患の子供の増加など，状況は大きく変わってきている。

●特別支援学校

□特別支援学校（病弱）は，**病院**に隣接又は併設されていることが多い。また，病院内に教室となる場所や職員室等を確保して，分校又は分教室として設置している所や，病院・施設，自宅への**訪問教育**を行っている所も多い。

□特別支援学校（病弱）には，**高等部**が設置されていない所もある。そのため，高等学校段階の子供が入院する場合には，入院した**病院**で教育を受けることができるかどうか，特別支援学校（病弱）又は**都道府県教育委員会**等に確認する必要がある。

□特別支援学校（病弱）における教育の内容については，小中学校又は高等学校に**準じた**（原則として同一の）各教科等の指導が行われており，それに加えて，障害による学習上又は生活上の困難を主体的に改善・克服するために，「**自立活動**」という指導領域が設けられている。

---

❶「病気療養児がICT等を活用した学習活動に係るシステムを利用するに当たって必要な支援を行うこと」等，一定の留意事項を踏まえることとされる。

テーマ 46 ● 障害の理解

言語障害の概念と実態把握

ここが出る! ▶▶

- **音声器官の図を提示し，部位を答えさせる問題が出る。図をしっかり見ておこう。**
- **構音障害の分類や吃音のタイプも頻出。名称と説明文を結び付けられるようにすること。**

1 言語障害とは

文部科学省「障害のある子供の教育支援の手引」(2021年)を読んでみよう。本テーマの記述は，この資料に依拠している。

● **概念**

□言語障害とは，発音が**不明瞭**であったり，話し言葉のリズムが**スムーズ**でなかったりするため，**話し言葉**によるコミュニケーションが円滑に進まない状況であること，また，そのため本人が**引け目**を感じるなど社会生活上不都合な状態であることをいう。

● **詳説**

□言語障害は，言語情報の**伝達**及び処理過程における様々な障害を包括する広範な概念である。

□一般的には，言語の受容から**表出**に至るまでのいずれか又は複数の過程において障害がある状態であり，その実態は複雑多岐にわたっている。言語の機能にかかわる要素は広範で，運動機能や思考，**社会性**の発達などとのかかわりも深い。したがって，言語障害を単一の機能の障害として定義することは困難である。

□具体的にその状態を示すとすれば，その社会の一般の聞き手にとって，言葉そのものに**注意**が引かれるような話し方をする状態及びそのために本人が**社会的不都合**を来すような状態であるといえる。このような状態は，言語の表出に関することだけではなく，言語の意味理解や**言語概念**の形成などの面に困難を伴うことも考えられる。

● **音声の生成**

言語障害は，3番目の**構音器官**の障害である。

□呼吸器官の**肺**にて，声の源の呼気が作られる。

□発声器官の**喉頭**にて，呼気が音源に変換される。

□構音器官の**声道**にて，共鳴特性が加わり言語音となる。

● **音声器官の仕組み**

発声器官と構音器官を合わせて音声器官と呼ぶ。

ア）発声器官 □発声器官の**喉頭**は，4つの軟骨（甲状軟骨，**輪状**軟骨，披裂軟骨，**喉頭蓋**軟骨）から構成される。 □喉頭の内側には**声帯**がある。 イ）構音器官 □咽頭，口腔，鼻腔を総称して**声道**という。 □口腔の舌，唇，**咽頭**，鼻腔によって，言語音となるのに必要な**共鳴特性**が加えられる。	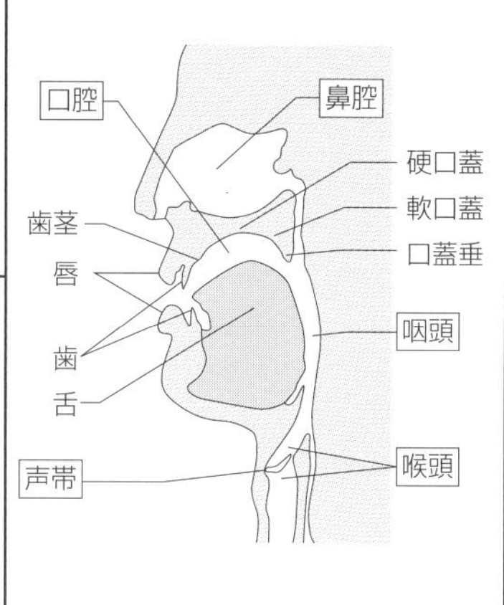

2 構音障害の分類

音声的な特徴による分類についてよく問われる。

● **一般的な分類**

□耳で聞いた特徴に基づく分類：発音の誤り，**吃音**など。

□**言葉**の発達という観点からの分類：話す，聞く等言語機能の基礎的事項における発達の**遅れ**や偏りなど。

□原因による分類：**口蓋裂**，聴覚障害，脳性まひなど。

● **原因からの分類**

構音障害❶は，原因によって以下の2タイプに分けられる。

□【 器質性構音障害 】…口唇，舌，歯等の構音器官の構造や，それらの器官の機能の異常が原因となって生ずる構音障害。よく見受けられるのは**口蓋裂**❷による構音障害である。

□【 機能性構音障害 】…聴覚，構音器官などに器質的疾患がなく，成長過程での構音の習得において誤った構音が固定したと考えられる障

❶構音器官の障害のため，発せられる言語音に異常があること。

❷「こうがいれつ」と読む。上顎（口の中の天井）が生まれつき裂けていることをいう。

害。音韻障害と呼ばれることもある。

●音声的な特徴からの分類

構音障害は，耳で聞いた際の音声的な特徴からも分類できる。

⏱□【　置換　】…「さかな」（[sakana]）を「たかな」（[takana]）と間違えるように，ある音が他の音に置き換わる構音障害のタイプを指す。この例では[s]音が[t]音に置き換わっている。

□【　省略　】…「ラッパ」（[rappa]）を「アッパ」（[appa]）等と発音するように，必要な音を省略して発音する構音障害のタイプを指す。この場合は，[r]音が省略されている。

□【　ひずみ　】…ある音が不正確に発音されている状態で，日本語にない音として発音される。音声記号で表すことは難しい。「[ta]と[ka]の中間」などの場合がある。

3　吃音

吃音は，いじめの原因にもなりやすい。当人への指導だけでなく，周囲の態度を改善することも必要になる。

●定義

□吃音とは，自分で話したい内容が明確にあるのにもかかわらず，また構音器官のまひ等がないにもかかわらず，話そうとするときに，同じ音の繰り返しや，引き伸ばし，声が出ないなど，いわゆる流暢さに欠ける話し方をする状態を指す。

●吃音の状態（中核症状）

以下の3つの状態がある。

□【　連発　】…話すときの最初の音や，文のはじめの音を「ぼ，ぼ，ぼ，ぼ，ぼくは…」というように何回も繰り返す話し方で，吃音の初期の段階に多く，幼児期によく見られる話し方である。

□【　伸発　】…話すときの最初の音や，文のはじめの音を「ぼおーーーくは…」というように引き伸ばす話し方である。

□【　難発　】…話のはじめだけでなく，途中でも生じる場合もあり，声や語音が非常に出にくい状態である。比較的進行した吃音に多いといわれている。

●吃音の特性

□吃音の状態に変動が見られること。

・あるときは，友達と変わりなく話せるのに，全く同じ状況であっても吃音の頻度が多くなる場合がある(吃音の波現象)。

□人や場面に対する恐怖や**回避**を生じやすいこと。

・吃音のある子供の中には，自分が苦手であるとか，避けて通りたいと思っている特定の場面(**音読**や，電話をかける場面など)を意識的に又は無意識的に避けようとすることがある。

□**随伴**症状が見られること。

・発語に伴って生じる身体運動(**まばたき**をする，体をゆする，**足踏み**をする，首を振るなど)のことを随伴症状と呼び，吃音症状が進展した子供に特徴的なものである。

□社会性の発達や**自己肯定**感に対する影響が見られること。

4 構音障害の実態把握

以下のような検査を実施する。

●構音の状態の把握

□【　単音節構音検査　】…子供に対して，単音節の文字を示し，発語させることにより誤りの傾向を把握する検査である。発語の状態を，構音点(唇，舌，歯茎，口蓋などの音を作る位置)，構音様式(破裂，摩擦などの音の作り方)によって整理し，誤りの特徴や傾向を把握する。

□【　単語構音検査　】…子供に事物の名称や動作などの絵を示し，その名称や動作などを呼称させる検査である。構音の誤りを把握するため，検査で用いる言葉については，対象となる子供の実態に応じて，事前に十分検討しておく必要がある。

□【　会話明瞭度検査　】…検査者との会話を通して構音の全体的な特徴や発話の明瞭度を把握するために行う検査である。

●音の聴覚的な記銘力の検査

□【　語音弁別検査　】…正しい音と誤った音を聞かせ，正誤を判断させる検査。

□【　聴覚的記銘力検査　】…複数の無意味音節つづりを聞かせ，再生させる検査。

□【　被刺激性の検査　】…誤って構音している音に対し，正しい音を聞かせて復唱させ，誤り方の変化を見る検査。

テーマ 47

● 障害の理解

言語障害児の指導

ここが出る! ▶▶

- **構音障害の指導として，どのようなことを行うこととされているか。CSS機能，口蓋裂，口腔内圧といった専門用語も多い。**
- **調音点と調音法を組み合わせた「国際音声字母」について知っておこう。「声門を調音点とする無声の摩擦音は？」という問題が出る。**

1 構音障害の指導

構音器官の運動指導，正しい構音の仕方の指導からなる。文部科学省「障害のある子供の教育支援の手引」（2021年）を参照。

●発語器官の運動機能の向上

□構音障害の中には，**構音器官**の運動機能が不十分であることに起因するものがある。特に，**舌運動**機能の不全及び**口蓋裂**などの場合にみられる呼気の操作に問題がある場合がそれに当たる。このような状態の子供に対しては，**構音器官**の運動についての適切な指導が必要である。

□構音器官の運動としては，**CSS機能**（噛むこと，吸うこと，飲み込むこと）といわれる運動があり，その適否を調べ，必要な運動機能の習得を目指して指導することが必要であると考えられるが，訓練として舌の挙上等個々の運動を取り出して行うのではなく，**構音動作**を併用して進めることが有効である。

□**口唇裂**を含め，口蓋機能が適切に働かないか不全の状態である場合には，構音時の**呼気**の流れが口腔の前方に向かわず，鼻腔方向に向かうことがあり，**摩擦音**（[s]等），破擦音（[ts]等），破裂音（[k]［p］［t］等）等の構音に必要な**口腔内圧**が得られないことがある。この場合には，呼気流を**口腔前方**に向けるための指導を行う必要がある。

●構音の誘導

正しい構音の仕方を習得させるための誘導である。

□**構音可能**な音から誘導する方法 ⇒ [ga]音をささやき声で無声化し，[ka]音にするなどのように，構音運動の似た音を利用して誘導する方法。

□構音器官の位置や動きを指示して，正しい構音運動を習得させる方法。

□聴覚刺激法 ⇒ 聴覚的に正しい音を聞かせて，それを**模倣**させる方法。

□キーワード法 ⇒ **キーワード**(時に正しく構音できる音を含む単語)を用いて，目的の音を獲得させる方法。

□**母音変換法** ⇒ 正しく構音できる音について，その母音を変えて目的の音を獲得する方法。

2 国際音声字母

子音の表である。表頭は調音点，表側は調音法を意味する。対になっている場合，右側が有声子音である。

	両唇音	唇歯音	歯音	歯茎音	後部歯茎音	そり舌音	硬口蓋音	軟口蓋音	口蓋垂音	咽頭音	声門音
破裂音	p b			t d		ʈ ɖ	c ɟ	k ɡ	q ɢ		ʔ
鼻音	m	ɱ		n		ɳ	ɲ	ŋ	ɴ		
ふるえ音	ʙ			r					ʀ		
弾き音				ɾ		ɽ					
摩擦音	ɸ β	f v	θ ð	s z	ʃ ʒ	ʂ ʐ	ç ʝ	x ɣ	χ ʁ	ħ ʕ	h ɦ
側面摩擦音				ɬ ɮ							
接近音		ʋ		ɹ		ɻ	j	ɰ			
側面接近音				l		ɭ	ʎ	ʟ			

□声門を調音点とする無声の摩擦音は「h」である。

3 通級による指導(言語障害)の内容

通級指導の対象で多いのは言語障害児である。

□指導の内容は，正しい音の認知や模倣，**構音器官**の運動の調整，発音・**発語**指導などの構音の改善にかかわる指導，遊びの指導・劇指導・斉読法などによる話し言葉の**流暢性**を改善する指導，遊びや日常生活の体験と結び付けた**言語機能**の基礎的事項に関する指導等が考えられる。

□指導においては，対象となる子供の言語の障害や**コミュニケーション**上の困難を改善又は軽減したり，周囲との望ましい**人間関係**を育てたりすることが大切である。

テーマ 48

● 障害の理解

自閉症・情緒障害の概念と実態把握

ここが出る! ▶▶

・自閉症の概念の空欄補充問題が多い。公的文書でいわれている，3つの特徴を押さえよう。DSM-5では，広汎性発達障害が自閉症スペクトラム障害という語に変わっていることにも注意。

・情緒障害に関わる「チック」「選択性かん黙」といった言葉を覚えよう。

1 自閉症とは

3つの特徴があるとされる。文部科学省「障害のある子供の教育支援の手引」(2021年)を参照。

●自閉症の基本的な障害

□自閉症とは，①他人との**社会的関係**の形成の困難さ，②**言葉**の発達の遅れ，③興味や関心が狭く特定のものに**こだわる**ことを特徴とする発達の障害である。

□その特徴は，3歳くらいまでに現れることが多いが，成人期に症状が顕在化することもある。**中枢神経系**に何らかの要因による機能不全があると推定されている。

□なお，**高機能自閉症**とは，知的発達の遅れを伴わない自閉症を指す。同様に，アスペルガー症候群(アスペルガー障害)は，自閉症の上位概念である**広汎性発達障害**の一つに分類され，知的発達と言語発達に遅れはなく，上記3つの自閉症の特性のうち，言葉の発達の遅れが比較的目立たない。

●その他の特徴

□感覚知覚の**過敏性**や鈍感性，刺激の**過剰選択性**が見られることがある。

□【　エコラリア　】…他者の言葉を模倣すること(反響言語)。

●自閉症のある子どもの知能検査結果の特徴

□発達の水準は，移動運動などの**運動的側面**が比較的高く，社会性，情意，**言語**に比較的低い傾向が見られる。

□言語を用いない**動作性**の課題では，高い水準の結果を示すことがある。

□個人内差を把握することのできる知能検査では，例えば，ある分野の課題では**低年齢**段階を通過できなくても，別分野の課題では，高年齢段階の問題を通過することもある。

□言語の発達年齢は生活年齢よりも低いこと，**類推**などの能力が低いこと，一部の**記憶能力**がほかの能力より高いことなどが比較的共通している。

●**自閉症スペクトラム**

□2013年，米国精神医学会による精神障害の分類と診断基準の本の改訂版(第5版)が刊行された。この**DSM-5**では，広汎性発達障害(PDD)の用語が**自閉症スペクトラム障害**(ASD)という用語に変更された。

□**ローナ・ウィング**は，自閉症スペクトラムの特性を「3つ組」として提唱した。

□「3つ組」とは，①**社会的相互交渉**の障害，②**社会的コミュニケーション**の障害，③**社会的イマジネーション**の障害，である。

2 情緒障害とは

●**概念**

□情緒障害とは，状況に合わない感情・気分が**持続**し，不適切な行動が引き起こされ，それらを自分の意思では**コントロール**できないことが継続し，学校生活や**社会生活**に適応できなくなる状態をいう。

□情緒障害の状態の現れ方や時期は様々であり，状況に合わない心身の状態を自分の**意思**ではコントロールできないことにより，学校生活や社会生活に**適応**できなくなる場合もある。

●**行動上の問題のタイプ**

□内在化のタイプでは，**選択性かん黙**，不登校，過度の不安やうつ状態，身体愁訴を訴える(重症型の**チック**で薬物療法の効果が見られない事例など)場合などがある。

□外在化のタイプでは，**かんしゃく**や怒り発作，離席，教室からの抜け出し，集団からの逸脱行動，反抗，暴言，**暴力**や攻撃的行動を呈するなど，通常の学級に適応困難な**外在化**問題行動を呈する場合などがある。

●**選択性かん黙**

□**選択性かん黙**とは，一般に，発声器官等に明らかな器質的・機能的な障害はないが，**心理的**な要因により，特定の状況で音声や言葉を出せず，学業等に支障がある状態である。

テーマ 49

● 障害の理解

自閉症・情緒障害児の指導

ここが出る!

- 自閉症・情緒障害のある児童生徒の場合，特別な指導内容が必要になる。両者のものを識別させる問題が出る。
- 特別支援学級の在籍者で最も多いのは，自閉症・情緒障害のある子どもである。学びの場を決める際の留意事項を知っておこう。

1 特別な指導内容

文部科学省「障害のある子供の教育支援の手引」（2021年）で示されている事項である。

● **自閉症**

- □他者との**関わり**の基礎に関すること。
- □**情緒**の安定に関すること。
- □状況の理解と**変化**への対応に関すること。
- □障害の特性の理解と生活環境の**調整**に関すること。
- □**感覚調整**の補助及び代行手段の活用に関すること。
- □認知や行動の手掛かりとなる**概念**の形成に関すること。
- □他者の**意図**や感情の理解に関すること。
- □**生活習慣**の形成に関すること。

● **情緒障害**

- □情緒の**安定**に関すること。
- □**状況**の理解と変化への対応に関すること。
- □**非言語的**なコミュニケーションの表出に関すること。
- □状況に応じたコミュニケーションに関すること。
- □**言語**の表出に関すること。

● **自閉症のある子供に対する支援としての構造化**

- □自閉症のある子供には，活動などを分かりやすくするための**構造化**が有効である。
- □構造化することで，概念化や情報を整理・**統合**することに困難さがある自閉症のある子供が，課題などのやるべきことや課題をどのように遂行すべきかを，理解しやすくなる。
- □構造化は子供一人一人の実態に応じて**調整**するものであり，定期的に見直しを図っていくことが重要である。

2 自閉症・情緒障害特別支援学級

特別支援学級では，自閉症，情緒障害のある子が多い(17ページ)。

●**自閉症**

□教師からの一斉指示や質問の理解に困難があるため，通常の学級における**一斉**の学習では，学習活動に参加している実感・**達成感**をもつことが難しいことから，情緒的に**不安定**になってしまったり，情緒が不安定になった際に具体的な方法を通して落ち着きを取り戻す経験を繰り返し積んでいく必要があったりする状態である子供の場合は，**特別支援学級**での指導を検討することが考えられる。

●**情緒障害**

□人との**意思疎通**やコミュニケーションに関する特別な指導が必要であることに加え，通常の学級において環境の**調整**を行っても，本人が集団での学習に不安を感じるために，学習活動に参加している実感・達成感をもちづらく，**小集団**での特別な指導が教育活動全体を通じて必要な状態である子供は，特別支援学級での指導を検討することが考えられる。

□学びの場の検討や学級編制に当たっては，**選択制かん黙**等の情緒障害と，自閉症やそれに類するものが背景にあって情緒の問題を呈するものとは，原因も対応も大きく異なることから，それぞれの障害の状態等に応じた指導が適切にできるようにするなどの**教室環境**等への配慮と工夫が必要である。

●**共通事項**

□特別支援学級に在籍する子供の指導に当たっては，通級による指導への学びの場の**変更**の可能性も視野に入れて，子供一人一人の障害の状態等に応じた指導内容や**指導方法**の工夫を検討し，適切な指導を行うことが大切である。

⏱□**特別支援学級**において特別な指導を行ったことにより，学習や社会生活への適応の状態が改善され，**一斉**での学習活動において，授業内容が分かり，学習活動に参加している実感・達成感をもてる状況に変容してきた場合には，通常の学級による指導と**通級による指導**を組み合わせた指導について検討を行うことが考えられる。

テーマ 50 ● 障害の理解

重複障害児の指導

ここが出る! ▶▶

- **教員が行うことのできる医療的行為はどのようなものか。それを行う際，どのようなことに配慮すべきか。**
- **摂食機能獲得の 8 段階を覚えよう。各段階の説明文を選ばせる問題が出る。**

1 医療的ケアを必要とする幼児児童生徒への対応

重複障害児の中には，医療的ケアを要する者も少なくない。

●医療的ケアが必要な幼児児童生徒数

□特別支援学校に在籍する医療的ケア児は**8,565人**，幼稚園・小学校・中学校・高等学校に在籍する医療的ケア児は**2,199人**❶。

□行為別にみると，特別支援学校では**喀痰吸引(鼻腔内)**，喀痰吸引(口腔内)の順に多い。幼稚園·小学校·中学校·高等学校では血糖値測定·インスリン注射，導尿の順に多い。

●教員が行うことができる医療的行為

□**一定の研修**を受けた者が一定の条件の下に，以下の医療的行為(特定行為)を実施することができる。

①：口腔内の喀痰吸引

②：鼻腔内の喀痰吸引

③：気管カニューレ内部の喀痰吸引

④：胃ろう又は腸ろうによる経管栄養

⑤：経鼻経管栄養

2 医療的ケアとは

医療的ケアとは何か。文部科学省「小学校等における医療的ケア実施支援資料」(2021年)を読んでみよう。

●概念

□医療的ケアとは，病院などの**医療機関以外**の場所(学校や自宅など)で日常的に継続して行われる，**喀痰吸引**や経管栄養，**気管切開部**の衛生管理，導尿，インスリン注射などの医行為を指し，病気治療のための

❶文部科学省「学校における医療的ケアに関する実態調査」(2023年度)による。

入院や通院で行われる医行為は含まれない。

●**実施者**

□**看護師**及び准看護師は医師の指示の下，医療的ケアを行うことができる。

□研修を受けた**認定特定行為業務従事者**(教職員含む)は，医師の指示の下，看護師等と連携し，医療的ケアのうち，**喀痰吸引**と**経管栄養**の一部を行うことができる。

□**教職員**が，看護師等の管理下において，医療的ケア以外の支援，例えば，医療機械・器具の装着時に衣服の着脱を手伝ったり，医療的ケアを受けやすい**姿勢保持**等の補助を行ったりすることは可能であり，教職員と**看護師**等とが連携して医療的ケア児の支援に当たることが重要である。

□【　医療的ケア看護職員　】…恒常的に医療的ケアを受けることが不可欠である児童の療養上の世話又は診療の補助に従事する(学校教育法施行規則第65条の２)。この職には看護師等が充てられる。

3 喀痰吸引

「かくたんきゅういん」と読む。

●**概念**

□喀痰とは，主に咳をしたときに，喉の奥から出てくる**粘液状**のもので，単に(広い意味で)痰と呼ぶこともある。

□安定した**呼吸**のためには痰を吸引する必要がある。

●**教職員が行うに際しての留意事項**

□必要に応じて，吸引を行うための**スペース**を設ける。その際，医療的ケア児本人や他の児童生徒の**発達段階**に応じた配慮を行う。

□ガーゼやスカーフなどで気管切開部を覆っている場合は，ガーゼやスカーフが**ぬれる**と呼吸が苦しくなるので，注意する。

□**気管カニューレ**の自己(事故)抜去を防止するため，カニューレ固定のひもやホルダーが緩くなっていないか，確認する。

4 気管切開部の管理

●**概念**

□気管切開とは，**上気道**(鼻腔，咽頭，喉頭)が何らかの理由で狭窄・閉鎖している場合に，皮膚と気管に穴を開け，**気管カニューレ**を挿入・留置し，**呼吸**状態の改善を図るために実施されるものである。

●**教職員が行うに際しての留意事項**

□気管切開をしていても，**スピーチバルブ**などを用いることで発声することができる場合もある。

□着替えをする際に，衣服が**気管カニューレ**に引っ掛からないように注意する。

□**気管孔**周辺に外的な力がかからないように注意する。

□**首**を反った際に，カニューレホルダーが付いたまま，気管カニューレが抜けることがあり，ガーゼや衣服，スカーフなどで抜けたことに気が付かない場合があるので注意する。

□活動中に**人工鼻**が外れた際の対応について，事前に医師や看護師等に確認しておく。

5 経管栄養

●**概念**

□経管栄養とは，**摂食**や嚥下の機能に障害があり，口から食べ物を摂取することが困難，又は必要な量を**口**から摂取できない子供に対して，チューブや**カテーテル**を用いて，**胃**や腸に直接栄養を取り入れる方法である。

●**教職員が行うに際しての留意事項**

□経管栄養カテーテルの挿入部に留意すれば，特に活動に制限はないが，胃ろうを利用している子供の**腹臥位**姿勢の際には，胃ろう部の圧迫に留意する。

□口から食べることができる子供でも，十分な量を経口から摂取できない時に**経管栄養**を使用したり，**水分**のみ経管栄養を使用したりする場合があるので，事前に医師や看護師等，保護者と対応について確認しておく。

□医療的ケア児の状況によっては，**ミキサー食**にすれば，給食を胃ろう部から注入することが可能な場合もある。その場合，市町村教育委員会や学校，医師や看護師等，**保護者**などの間で，対応方法等について，十分に話し合うことが望ましい。

□**着替え**をする際に，衣服が経鼻経管あるいは**胃ろう部**のカニューレに引っ掛からないように注意する。

□他の子供と接触することが想定される体育などの教育活動においては，経鼻に留置している**経管**が抜けないよう注意する。

6 導尿

●概念

□導尿とは，**二分脊椎**及び脳性麻痺，脊髄腫瘍，外傷による脊髄損傷などにより，排尿の機能に障害がある場合に，**尿道**から膀胱内に細い管（ネラトンカテーテル）を挿入し，尿を体外に出す方法である

●教職員が行うに際しての留意事項

□導尿間隔を守り，**間欠導尿**を生活行為の一部として学校生活スケジュールの中に上手に取り入れることで，生活の質の向上につなげていく。

□導尿の**自己管理**は，医療的ケア児本人の自立において重要であるので，発達段階に応じた指導を行う。

7 摂食機能

栄養摂取に必要な**摂食機能**に障害がある子供もいる❷。

●咀嚼と嚥下

□【　咀嚼　】…かみ砕くこと。「そしゃく」と読む。

□【　嚥下　】…飲み込むこと。「えんげ」と読む。

●摂食機能獲得の 8 段階

□経口摂取準備期	哺乳反射，指しゃぶり，オモチャなめ，舌突出（安静時）など。
□嚥下機能獲得期	下唇の内転，舌尖の固定（閉口時），舌の蠕動様運動での食塊移送（姿勢の補助）など。
□捕食機能獲得期	あご・口唇の随意的閉鎖，上唇での取り込み（すりとり）など。
□押しつぶし機能獲得期	口角の水平の動き（左右対称），扁平な赤唇（上下唇），舌尖の口蓋への押し付けなど。
□すりつぶし機能獲得期	頬と唇の協調運動，口角の引き（左右非対称），あごの偏位など。
□自食準備期	歯がため遊び，手づかみ遊びなど。
□手づかみ食べ機能獲得期	頸部回旋の消失，前歯咬断，口唇中央部からの捕食など。
□食器食べ機能獲得期	頸部回旋の消失，口唇中央部からの食器の挿入，口唇での捕食，左右の手の協調など。

❷摂食機能獲得の 8 段階は，向井美恵『乳幼児の摂食指導・お母さんの疑問にこたえる』医歯薬出版（2000年）の45ページより引用。

テーマ 51 ● 障害の理解

発達障害の概念と実態把握

頻出度 A

ここが出る! ▶▶

- 学習障害と注意欠陥多動性障害の概念を押さえよう。空欄補充の問題がよく出る。
- 発達障害のある子どもは，失敗や挫折の繰り返しから「二次的障害」を引き起こしやすい。その支援として，どのようなことをすべきか。

1 発達障害とは

発達障害者支援法では，次のように定義されている。

□「発達障害」とは，**自閉症**，アスペルガー症候群その他の広汎性発達障害，**学習障害**，注意欠陥多動性障害その他これに類する脳機能の障害であってその症状が通常**低年齢**において発現するものとして政令で定めるものをいう。（発達障害者支援法第２条第１項）

□「発達障害児」とは，発達障害者のうち**18**歳未満のものをいう。（第２項）

2 学習障害(LD)

英語表記の「Learning Disabilities」の頭文字をとって，**LD**と略されることが多い。文科省「障害のある子供の教育支援の手引」（2021年）の記述を読んでみよう。

●概念

□**学習障害**とは，基本的には，全般的な**知的発達**に遅れはないが，聞く，話す，読む，書く，**計算**する又は推論する能力のうち，特定のものの習得と使用に著しい**困難**を示す様々な状態を指すものである。

□学習障害は，その原因として，**中枢神経系**に何らかの要因による機能不全があると推定されるが，視覚障害，聴覚障害，**知的障害**，情緒障害などの障害や，環境的な要因が直接的な原因となるものではない。

□読み書きの困難は**ディスレクシア**，算数の計算等の困難は**ディスカリキュア**という。

●見逃されやすい障害であること

□学習障害は，障害そのものの社会的な認知が十分でなく，また，一部の能力の習得と使用のみに困難を示すものであるため，「単に学習が遅れている」あるいは「本人の**努力不足**によるもの」とみなされてしまい，障害の存在が見逃されやすい。

□特に，早期からの適切な対応が効果的である場合が多いことから，**低学年**の段階で学級担任がその特性を十分に理解し，適切な指導や必要な支援の意義を認識することが重要である。

●他の障害との重複がある場合が多いこと

□学習障害は，**中枢神経系**に何らかの機能不全があると推定されており，注意欠陥多動性障害や**自閉症**を併せ有する場合があり，その程度や重複の状態は様々であるので，個々の子供に応じた対応が必要である。

●他の事項への波及

□対人関係形成の際に様々な困難が生じる場合があり，その結果として，**不登校**や心身症などの二次的な障害を起こす場合がある。

3 注意欠陥多動性障害

「Attention-Deficit/Hyperactivity Disorder」を略して，**ADHD**と称されることが多い。先ほどの資料の解説文を紹介する。

●総論

□**注意欠陥多動性障害**とは，年齢あるいは**発達**に不釣合いな注意力，又は**衝動性**・多動性を特徴とする障害であり，**社会的**な活動や学校生活を営む上で著しい困難を示す状態である。

□通常12歳になる前に現れ，その状態が**継続**するものであるとされている。注意欠陥多動性障害の原因としては，**中枢神経系**に何らかの要因による機能不全があると推定されている。

□一定程度の不注意，又は衝動性・**多動性**は，発達段階の途上においては，どの子供においても現れ得るものである。しかし，注意欠陥多動性障害は，不注意，又は衝動性・多動性を示す状態が**継続**し，かつそれらが社会的な活動や学校生活を営む上で著しい**困難**を示す程度の状態を指す。

●不注意，衝動性及び多動性

□**不注意**：気が散りやすく，注意を**集中**させ続けることが困難であったり，必要な事柄を**忘れ**やすかったりすること。

□**衝動性**：話を最後まで聞いて答えることや**順番**を守ったりすることが

困難であったり，思いつくままに行動して他者の行動を妨げてしまったりすること。

□**多動性**：じっとしていることが苦手で，過度に**手足**を動かしたり，話したりすることから，落ち着いて活動や課題に取り組むことが困難であること。

●**不注意，衝動性及び多動性の評価**

□「不注意」「衝動性」「多動性」の状態が少なくとも**6か月**以上続いていること。

□「不注意」「衝動性」「多動性」のうちの1つまたは複数が12歳になる前に現れ，**社会生活**や学校生活を営む上で支障があること。

□著しい**不適応**が学校や家庭などの複数の場面で認められること。

□**知的障害**（軽度を除く）や**自閉症**等が認められないこと。

●**見逃されやすい障害であること**

□注意欠陥多動性障害は，障害そのものの**社会的認知**が十分でなく，また，注意欠陥多動性障害のない子供においても，**不注意**，又は衝動性・多動性の状態を示すことがあることから，注意欠陥多動性障害のある子供は，「**故意**に活動や課題に取り組むことを怠けている」あるいは「自分勝手な行動をしている」などとみなされてしまい，障害の存在が見逃されやすい。

●**他の障害との重複がある場合が多いこと**

□注意欠陥多動性障害は，**中枢神経系**に何らかの要因による機能不全があると推定されており，**学習障害**や自閉症を併せ有する場合があり，その程度や**重複**の状態は様々であるので，個々の子供に応じた対応が必要である。

●**他の事項への波及**

□**ソーシャルスキル**の習得，**対人関係**形成の際に様々な困難が生じる場合がある。さらに**反抗挑戦性障害**や行為障害などを併存することがあり，その場合には専門機関との連携を密に図る必要がある。

4 発達障害等に関する課題と対応

2022年に改訂された『生徒指導提要』の記載事項である。

□発達障害は，生まれつきの脳の働き方の違いにより，対人関係や社会性，**行動面**や情緒面，学習面に特徴がある状態です。

□**学習活動**において困難さを抱えるものもあれば，容易に取り組めるものもあります。学業成績が優秀であっても**生活上**の困難さを抱えている場合もあります。

□そのため，発達障害による能力的な**偏り**に気付かれず，苦手なことは誰にでもあること，経験や**努力不足**，意欲の問題，**甘え**やわがままなどと誤って捉えられてしまうことも少なくありません。

□つまずきや失敗が繰り返され，苦手意識や**挫折感**が高まると，心のバランスを失い，**暴力行為**，不登校，不安障害など様々な**二次的**な問題による症状が出てしまうことがあります。

□これらの二次的な問題による**不適応**の問題を考える際は，見えている現象への対応だけでなく，見えない部分にも意識を向け，背景や要因を考えて対応することが大切です。

5 全国実態調査の結果

発達障害の兆候のある子どもはどれほどいるか。2022年の全国実態調査の結果を知っておこう。

□公立小・中学生のうち，「知的発達に遅れはないものの学習面又は行動面で著しい困難を示す」とされた児童生徒の割合は**8.8%**である。

□学習面で著しい困難を示すのは**6.5%**，行動面で著しい困難を示すのは**4.7%**，学習面と行動面ともに著しい困難を示すのは**2.3%**である。

□図解すると，以下のようになる。

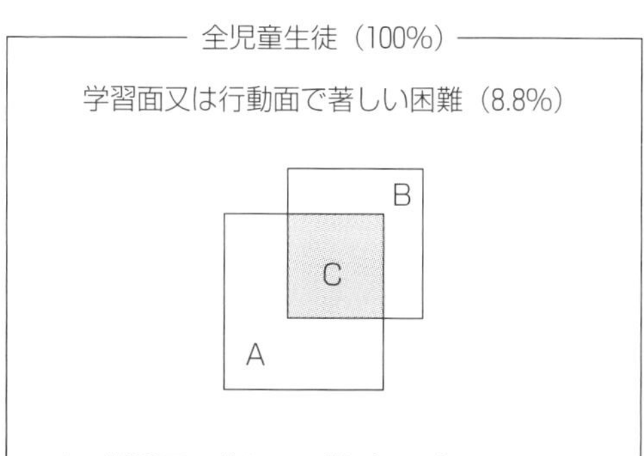

テーマ 52 ● 障害の理解

発達障害児の指導

ここが出る! ▶▶

- **学習障害や注意欠陥多動性障害のある子どもは，通常学級にも在籍している。必要な指導内容と，教育方法面の合理的配慮という２本立てでみていく。**
- **合理的配慮について述べた文章の空欄補充問題が多い。**

1 学習障害のある子ども

学習障害児に必要な指導内容と，教育内容・方法面の合理的配慮に関することである。文部科学省「障害のある子供の教育支援の手引」（2021年）を参照。

●特別な指導内容

□ア）感覚や**認知**の特性についての理解と対応に関すること，イ）**代替**手段等の使用に関すること，ウ）**言語**の形成と活用に関すること，エ）コミュニケーション手段の選択と活用に関すること，オ）感覚の総合的な活用に関すること，カ）認知や行動の手掛かりとなる**概念**の形成に関すること，キ）**集団**への参加の基礎に関すること，ク）障害の特性の理解に関すること，ケ）**情緒**の安定に関すること。

●教育内容・方法における合理的配慮

□学習上又は生活上の困難を改善・克服するための配慮

・読み書きや**計算**等に関して苦手なことをできるようにする，別の方法で**代替**する，他の能力で**補完**するなどに関する指導を行う。（文字の形を見分けることをできるようにする，パソコン，タブレット端末，デジカメ等の使用，**口頭試問**による評価　等）。

□学習内容の変更・調整

・「読む」「書く」等特定の学習内容の習得が難しいので，**基礎的**な内容の習得を確実にすることを重視した学習内容の**変更・調整**を行う。（**習熟**のための時間を別に設定，**軽重**をつけた学習内容の配分　等）。

□心理面・健康面の配慮

・苦手な学習活動があることで，**自尊感情**が低下している場合には，**成功体験**を増やしたり，友達から認められたりする場面を設ける。

(文章を理解すること等に時間がかかることを踏まえた**時間延長**，必要な学習活動に重点的な時間配分，**受容的**な学級の雰囲気作り，困ったときに相談できる人や場所の確保　等)。

2 注意欠陥多動性障害のある子ども

不注意を減らす指導，順番を待つ指導などを行う。

●特別な指導内容

□**注意集中**の持続に関すること。

□行動の**調整**に関すること。

□生活のリズムや**生活習慣**の形成に関すること。

□**姿勢保持**の基本的技能に関すること。

□作業に必要な動作と**円滑**な遂行に関すること。

□集団への参加の基礎に関すること。

□行動の手掛かりとなる概念の形成に関すること。

□**言語**の受容と表出に関すること。

□障害の特性の理解に関すること。

□情緒の**安定**に関すること。

●教育内容・方法における合理的配慮

□学習上又は生活上の困難を改善・克服するための配慮

・行動を最後までやり遂げることが困難な場合には，途中で**忘れない**ように工夫したり，別の方法で補ったりするための指導を行う。(自分を客観視する，物品の**管理方法**の工夫，**メモ**の使用　等)。

□学習内容の変更・調整

・**注意**の集中を持続することが苦手であることを考慮した学習内容の変更・調整を行う。(学習内容を**分割**して適切な量にする　等)。

□情報・コミュニケーション及び教材の配慮

・聞き逃しや見逃し，書類の紛失等が多い場合には伝達する情報を**整理**して提供する。(掲示物の整理整頓・**精選**，目を合わせての指示，メモ等の**視覚情報**の活用，静かで集中できる環境づくり　等)。

□心理面・健康面の配慮

・活動に持続的に取り組むことが難しく，また不注意による紛失等の失敗や**衝動的**な行動が多いので，**成功体験**を増やし，友達から認められる機会の増加に努める。

試験直前ファイナルチェック

□1　ランドルト環の1.5mmの切れ目を３ｍの距離から見分けられる場合，視力は1.0となる。 →P.85

□2　一般に「視力」という場合，遠見視力をさす。 →P.85

□3　水晶体に濁りがあり，視力障害が起きることを緑内障という。 →P.87

□4　白杖の機能として，路面の様子を探る探知機能がある。 →P.91

□5　自己を原点として前後，左右，上下の座標系で空間を区切る概念を空間座標軸という。 →P.91

□6　点字を考案したのは，フランスのルイ・ブライユである。 →P.92

□7　点字のカ行は，母音に⑤を足して表す。 →P.92

□8　特別支援学校小学部の点字教科書として，国語，社会，算数，理科，外国語，道徳のものが刊行されている。 →P.94

□9　ピンディスプレイとは，パソコン画面の文字を点字で表すことである。 →P.95

□10　大声の会話をdBで表すと70dBとなる。 →P.97

□11　オージオグラムでは，右耳の気導聴力は×で示される。 →P.98

□12　伝音難聴では，低い周波数の聴力レベルが大きい低音障害型になる。 →P.98

□13　指文字を聴覚障害者教育に導入したのは，フランスのド・レペである。 →P.102

□14　挿耳型の補聴器は，ハウリングが起きやすいので，最大出力を高くできない。 →P.104

●Answer●

1　×
３ｍではなく５ｍである。

2　○

3　×
白内障である。

4　○

5　×
身体座標軸である。

6　○

7　×
⑥を足して表す。

8　○

9　○

10　○

11　×
○で示される。

12　○

13　×
スペインのペドロ・ポンセである。

14　○

□15　人工内耳は，体内部分（インプラント）と体外部分（スピーチプロセッサ）からなる。→P.105

15　○

□16　知的障害は，おおむね18歳までの発達期に起こる。→P.107

16　○

□17　生理型の知的障害は中度から重度である場合が多い。→P.107

17　×
生理型ではなく病理型である。

□18　レシュ・ナイハン症候群を発症するのは，ほぼ男性に限られる。→P.108

18　○

□19　ダウン症は，7番染色体の欠損によって起こる。→P.108

19　×
21番染色体の過剰によって起こる。

□20　知的障害児の場合，学習によって得た知識や技能が断片的になりやすい傾向がある。→P.110

20　○

□21　脳性まひでは痙直型が多数を占めているが，痙直型とアテトーゼ型の症状を伴っている型（混合型）も多く見られる。→P.116

21　○

□22　筋ジストロフィーは遺伝性の疾患である。→P.116

22　○

□23　筋ジストロフィーの中で最も多いのはベッカー型である。→P.116

23　×
デュシェンヌ型である。

□24　ネフローゼ症候群は，疾患区分でいうと，慢性呼吸器疾患に含まれる。→P.122

24　×
慢性腎疾患である。

□25　子どもの場合，2型の糖尿病が大半である。→P.124

25　×
1型が大半である。

□26　病弱教育では，病気等の自己管理能力を育成することは重要な指導内容の一つである。→P.126

26　○

□27　言語障害は，構音器官の障害のことである。→P.130

27　○

□28　上顎（口の中の天井）が生まれつき裂けていることを口蓋裂という。→P.131

28　○

□29　複数の無意味音節つづりを聞かせ，再生させる検査を語音弁別検査という。 →P.133	29　× 聴覚的記銘力検査である。
□30　DSM-5では，広汎性発達障害という語は自閉症スペクトラム障害に変更されている。 →P.137	30　○
□31　選択性かん黙は，発声器官等に器質的・機能的な障害があることによって起こることが多い。 →P.137	31　× 心理的な要因で起こる。
□32　一定の研修を受けた教員が一定の条件の下に，経鼻経管栄養という医療的行為をすることは許される。 →P.140	32　○
□33　認定特定行為業務従事者である教員が医療的ケアを行う場合，医師の指示は必要としない。 →P.141	33　×
□34　医療的ケア看護職員には，看護師等が充てられる。 →P.141	34　○
□35　摂食機能獲得の8段階のうち，最初の段階は捕食機能獲得期である。 →P.143	35　× 経口摂取準備期である。
□36　学習障害の原因は知的障害ではなく，中枢神経系に何らかの機能不全があることとされる。 →P.144	36　○
□37　ADHDとは通常12歳になる前に現れ，その状態が継続するものをいう。 →P.145	37　○
□38　発達障害児の苦手意識や挫折感が高まると，様々な二次的な障害が出てしまうことがある。 →P.147	38　○
□39　公立小・中学生のうち，発達障害の兆候のある者の率は8.8％である。 →P.147	39　○
□40　学習障害のある子どもに必要な指導内容として，行動の調整に関することがある。 →P.149	40　× ADHDのある子どもへの指導内容である。

障害の
診断・検査

テーマ 53

● 障害の診断・検査

発達検査

ここが出る!

- 発達検査の概要の説明文と，当該検査の名称を結びつけさせる問題が頻出。対応できるようにしよう。
- それぞれの検査で設けられている下位領域の名称や，発達指数などのキータームに着目のこと。

1 乳幼児期の発達検査

発達検査のうち，代表的なものについて知っておこう。

□遠城寺式・乳幼児分析的発達検査法（0歳～4歳）	○運動（移動運動，手の運動），社会性（生活習慣，対人関係），言語（発語，言語理解）の領域ごとに乳幼児の発達を評価。 ○各領域における**発達年齢**を算出。
□新版K式発達検査（0歳～成人）	○姿勢・運動，**認知・適応**，言語・社会の3領域から構成される。 ○領域別と領域総合の発達年齢と**発達指数**
□津守式乳幼児精神発達診断検査（0歳～7歳）	○運動，探索・操作，社会，**生活習慣**，理解・言語の5領域からなる。 ○領域別の発達年齢を記した**発達輪郭表**
□日本版デンバー式発達スクリーニング検査（0歳～6歳）	○個人－社会，微細運動－適応，言語，粗大運動の4領域からなる。 ○異常，疑問，正常，不能の評定
□KIDS乳幼児発達スケール（0歳～6歳）	○運動，操作，理解言語，表出言語，概念，対子ども社会性など，9領域からなる。 ○領域別と領域総合の発達年齢と**発達指数**
□LCスケール（0～6歳）	○言語・コミュニケーションの発達を総合評価。 ○**言語表出**，言語理解，コミュニケーションの3領域の発達水準を数値化。
□日本版ミラー式幼児発達スクリーニング検査（2歳～6歳）	○**発達障害児**の早期発見を目的とした検査 ○言語指標検査など，発達全般に関わる26の評価項目からなる。

2 S－M 社会生活能力検査

同検査の手引（日本文化科学社）を参照。

□社会生活能力を「**自立と社会参加に必要な生活への適応能力**」と定義。

□質問項目は年齢ごとに分かれていて，129項目で構成。

□以下の6つの領域から社会生活能力を測定。回答結果をもとに，**社会生活年齢**(SA)と**社会生活指数**(SQ)を算出。

身辺自立(SH)	衣服の着脱，食事，排せつなどの能力
移動(L)	自分の行きたい所へ移動するための能力
作業(O)	道具の扱いなどの作業遂行に関する能力
コミュニケーション(C)	ことばや文字などによるコミュニケーション能力
集団参加(S)	社会生活への参加の具合を示す能力
自己統制(SD)	わがままを抑え，自己の行動を責任を持って目的に方向づける能力

3 その他の発達検査

区分を設けてみてみよう。

●言語に関する検査

□絵画語い発達検査（3歳～12歳）	○**語い理解力**を測定するための検査 ○語い年齢と評価点が出され，それをもとに語い理解力の発達水準を評価

●感覚・運動に関する検査

□ムーブメント教育・療育プログラムアセスメント（0～72カ月）	○子どもの発達を3分野(運動・感覚，言語，社会性)6領域にわたって評価 ○各分野・領域ごとに**発達年齢**を算出 ○MEPA－Rと略記

●視知覚に関する検査

□フロスティッグ視知覚発達検査（4歳～7歳）	○視覚と運動の協応，図形と素地，形の恒常性など，5つの下位検査からなる。 ○各検査にて，知覚年齢と**知覚指数**を算出

●自閉症に関する検査

□自閉症・発達障害児教育診断検査（2歳～12歳）	○3訂版は**PEP－3**と略称される。 ○発達機能を7領域，**行動特徴**を4領域で診断し，領域ごとの発達得点と総合得点を算出
□太田ステージ	○シンボル表象機能発達を6つの段階(Ⅰ，Ⅱ，Ⅲ1，Ⅲ2，Ⅳ，Ⅴ以上)で評価し，自閉症児の全般的な発達を促す。

テーマ 54

● 障害の診断・検査

知能検査

ここが出る! ▶▶

・WISC－V知能検査とK－ABC心理・教育アセスメントバッテリーの検査項目について知っておこう。

・WISCの最新の第５版では，どのような検査が新設されたか。第４版との相違点について問われる。

1 WISC－V知能検査

ウェクスラーが開発した児童用の知能検査❶。適用年齢は，5歳～16歳。Wechsler Intelligence Scale for Childrenを略して**WISC**という。

●検査の構成

□全般的な知能(FSIQ)，５つの主要指標，５つの補助指標を出す。

主要指標	**言語理解**(VCI)，視空間(VSI)，**流動性推理**(FRI)，ワーキングメモリー(WMI)，**処理速度**(PSI)
補助指標	**量的推理**(QRI)，聴覚ワーキングメモリー(AWMI)，非言語性能力(NVI)，**一般知的能力**(GAI)，**認知熟達度**(CPI)

●下位検査

□10の主要下位検査と，６の二次下位検査に分かれる。

□FSIQは，７つの主要下位検査(下線)をもとに出す。

主要下位検査	類似，単語，**積木模様**，パズル，**行列推理**，バランス，数唱，**絵のスパン**，符号，記号探し
二次下位検査	知識，**理解**，絵の概念，算数，**語音整列**，絵の抹消

●主要指標と下位検査の対応関係

□５つの主要指標は，以下の下位検査で測る。下線の検査は，第５版で新設されたものである❷。

	VCI	VSI	FRI	WMI	PSI
主要下位検査	類似 単語	積木模様 パズル	**行列推理** バランス	数唱 絵のスパン	符号 **記号探し**
二次下位検査	知識 理解		絵の概念 **算数**	**語音整列**	絵の抹消

❶幼児用はWPPSI，成人用はWAISである。

❷第４版の「語の推理」と「絵の完成」はなくなった。

2 K－ABCⅡ心理・教育アセスメントバッテリー

次に，K－ABCⅡ心理・教育アセスメントバッテリーである。

□**カウフマン夫妻**が開発。2歳6カ月～18歳11カ月の幼児児童が対象。

□**認知処理**と**習得度**を分けて評価する。

□認知処理は，**継次**処理と同時処理に加えて，**計画**能力と学習能力の4つの能力で測定。

尺度		下位検査
認知尺度	継次尺度	数唱，語の配列，手の動作
	同時尺度	顔さがし，**絵の統合**，近道さがし，模様の構成
	計画尺度	**物語の完成**，パターン推理
	学習尺度	語の学習，語の学習遅延
習得尺度	語彙尺度	表現語彙，**なぞなぞ**，理解語彙
	算数尺度	数的推論，計算
	読み書き尺度	**ことばの読み**，ことばの書き，**文の理解**，文の構成

3 その他の知能検査

● **田中ビネー知能検査V**

ビネー式知能検査の第5訂版である。2歳～成人を対象とする。

□それぞれの年齢段階に応じた検査項目から**精神年齢**(MA)が出され，それを生活年齢(CA)と対比し，**知能指数**(IQ)が出される。

IQ＝(MA／CA)×100

□14歳以上の場合，精神年齢を出さず，**偏差知能指数**(DIQ)を採用。

□1**歳級**以下の発達を捉える指標も設定。

● **グッドイナフ人物画知能検査(DAM)**

□適用年齢は，3歳～10歳。

□**人物像**の部分，人物像の部分の比率，人物像や部分の**明細化**の程度を点数化し，対象者の精神年齢を算出。**動作性**の発達検査。

● **DN－CAS認知評価システム**

□5歳～17歳が対象。

□「**プランニング**」(P)，「注意」(A)，「**同時処理**」(S)，「継次処理」(S)の4つのPASS尺度の標準得点を算出。

テーマ 55

● 障害の診断・検査

視覚検査

ここが出る! ▶▶

- **視力検査の実施要領について知っておこう。識別できるランドルト環の大きさから，視力を割り出させる問題が出る。また，実施要領の細目に関する正誤判定問題も多い。対応できるようにしよう。**
- **他の視覚検査として，どのようなものがあるか押さえておこう。**

1 視覚検査について

まず，基本事項として，以下のことを知っておこう。

□【 **視覚検査** 】…視力，視野，屈折，および色覚などの**視機能**がどのような状態にあるかを判断するための検査。

□わが国では，3 歳児健康診査や就学時健康診断，ならびに就学後の定期健康診断において，**視力検査**が実施されている。

□結果は，A群(矯正視力**1.0**以上)，B群(**1.0**未満**0.7**以上)，C群(**0.7**未満**0.3**以上)，D群(**0.3**未満)，の 4 群に分けて示される。

↓

□C群とD群は，眼科での**精密検査**を受けるよう指導される。

2 視力検査

視覚検査の代表格は，**視力検査**である。詳しくみてみよう。

●視力とは

□視力は，空間における 2 点を分離して認め得る**視角**で計測される。

□視角とは，眼と対象の 2 点を結ぶ 2 本の線でつくられる角度のこと。

□視角が 1 分(1 度の60分の 1)の場合，視力=**1.0**となる。

□外径7.5mm，切れ目幅1.5mmの**ランドルト環**を 5 mの距離から識別できる場合，視角が**1 分**となるので，視力1.0とみなされる❶。

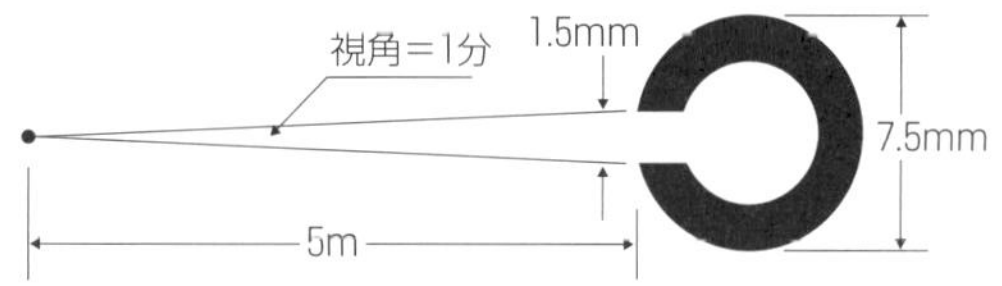

❶外径と切れ目幅が10倍(75.0mm，15.0mm)のランドルト環を同じ距離から識別できるという場合，視角は10倍に大きくなるので，視力は0.1となる。

●視力検査の実際

□5 mの距離から識別できるランドルト環の大きさ(視標)に応じて，視力は以下のように計測される。

□3 回のうち 2 回正答した場合，当該の視標に対応する視力値とみなす。

外径	切れ目幅	視力
75.0mm	15.0mm	0.1
15.0mm	3.0mm	0.5
7.5mm	1.5mm	1.0
5.0mm	1.0mm	1.5
3.75mm	0.75mm	2.0

↓

□視力0.1に対応するランドルト環(一番大きなもの)を識別できない場合，被験者に近づいてもらう。

□3 mの距離にした場合，視力は，0.1×(3／5)＝0.06となる❷。

3 視野検査

ものの見える範囲のことを**視野**という。

□視野検査には，視野の周辺部を測る**周辺視野検査**と，視野の中心部を測る**中心視野検査**がある。

□また，視標の大きさや明るさを変えて視野を測る**量的視野検査**もある。

□量的視野検査には，**ゴールドマン視野計**を使う動的視野検査と，**ハンフリー自動視野計**を使う静的視野検査がある。

4 その他の視覚検査

その他のものとして，以下の 6 つを知っておこう。

□【 屈折検査 】…近視などの屈折異常の有無とその程度を測る，

□【 色覚検査 】…色を識別する視機能を調べる。

□【 光覚検査 】…暗順応の視機能について調べる。

□【 調節検査 】…調節力の機能を調べる。

□【 眼位検査 】…斜視や斜位の有無と種類を調べる。

□【 眼球運動検査 】…眼の運動の異常の有無と種類を調べる。

❷ 5 mの距離で測る視力を遠見視力，通常30cmで測る視力を近見視力という。

テーマ56 ● 障害の診断・検査

聴覚検査

頻出度 B

ここが出る! ▶▶

- **オージオグラムから平均聴力を計算させる問題が出る。平均聴力を算出する公式を覚えておこう。**
- **伝音難聴と感音難聴の鑑別の仕方を知っておこう。その際のポイントである聴力型を，オージオグラムから判別できるようにしよう。**

1 純音聴力検査

純音の最小可聴値を求める検査である。オージオメータで測定する。

●平均聴力の測定

□さまざまな高さ(Hz)の純音を聞かせ，それぞれについて，「聞こえる」と「聞こえない」の境目の音の強さ(**最小可聴値**：dB)を出す。

□500Hzの最小可聴値をA，1000Hzの最小可聴値をB，2000Hzの最小可聴値をCとおくと，平均聴力は以下の式で算出される。

(A＋2B＋C)÷4

□98ページのオージオグラムの場合，右耳の気導聴力は？

{30dB＋(40dB×2)＋55dB}÷4＝41.25dB

●聴力による難聴の程度分け

□正常(25dB未満)，軽度難聴(25～40dB未満)，**中等度難聴**(40～70dB未満)，高度難聴(70～90dB未満)，**聾**(90dB以上)

●伝音難聴と感音難聴の鑑別

6つの点から，伝音難聴と感音難聴が鑑別される[1]。特に，聴力型による判別ポイントが重要である。

	伝音難聴	感音難聴
□鼓膜・中耳所見	異常あり	異常なし
□気導聴力レベル	**70dBをこえない**	さまざま
□気・骨導聴力ギャップ	**大きい**	小さい
□リクルートメント現象	ない	ある
□聴力型	水平型・**低音部**の障害	**高音部**の障害が顕著
□語音明瞭度[2]	よい	わるい

[1] 文部科学省「障害のある子供の教育支援の手引」(2021年)より引用。ただし一部改変。伝音難聴と感音難聴の定義については，テーマ33を参照のこと。

[2] 語音聴力検査で計測されるものである。

2 語音聴力検査

言葉を聞きとる能力と聞き分ける能力を測定する検査である。

□【 語音聴取域値 】…数字のリストをいろいろな音の強さで聞かせ，正答率(%)がどれほどかを測定する。

□【 語音弁別能力 】…単音リストをいろいろな音の強さで聞かせ，正答率がどれほどかを測る。

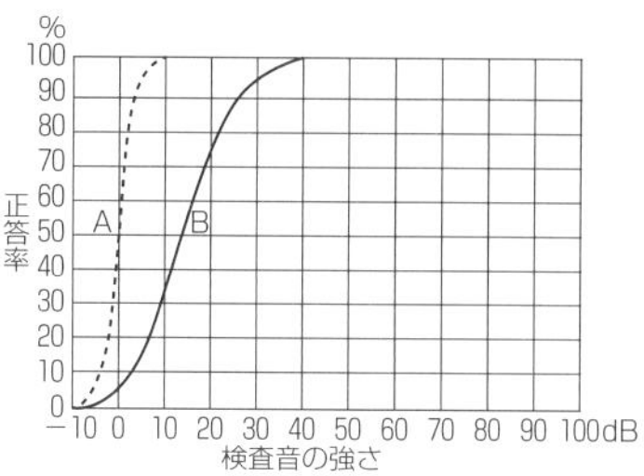

□語音聴取域値曲線(A)と語音弁別能力曲線(B)を記録したものを，スピーチオージオグラムという。

3 乳幼児聴力検査

乳幼児の場合，**聴性反応**を指標とした聴力検査が実施される。聴力検査法と適用年齢の表を掲げておこう。脚注❶の資料より引用。

第１段階	聴覚障害の有無の判定（０～１歳台） 新生児聴性反応，BOA(聴性行動反応)，ABR(聴性脳幹反応検査)，OAE(耳音響放射)，ASSR(聴性定常反応検査)を利用。
第２段階	聴覚障害のおおよその程度の判定（１～３歳台） 聴性行動反応，COR(条件詮索反応聴力検査)，遊戯聴力検査などを利用。
第３段階	聴力レベルの判定（３～４歳台） 遊戯聴力検査，標準聴力検査などを利用。

□【 BOA 】…乳幼児に振音，社会音などを聞かせ，反応を観察する。

□【 ABR 】…音を聞いて生じる脳波の変化を観察。睡眠状態で実施。

□【 COR 】…楽しい音源の方向に振りむくかどうかを観察。

4 医療器具

詳細はテーマ36を参照。

□【 補聴器 】…音を電気エネルギーに変換し，増幅して耳に伝える。

□【 人工内耳 】…内耳の蝸牛に電極を接触させ，聴覚を補助する。医療機関で埋め込み手術をして装着。

テーマ 57

● 障害の診断・検査

言語検査

ここが出る!
- **言語検査の一般的な過程や検査項目などの大枠について押さえよう。**
- **子どもを対象とした言語検査のうち，有名なものを知っておこう。短文を提示して，検査名を答えさせる問題が多い。特に，ITPA言語学習能力診断検査は出題頻度が高い。深く知っておこう。**

1 言語検査の構成

テーマ47でみたように，言語障害の主なものは，**構音障害**と**吃音**である。これらに関する検査法のあらましをみてみよう❶。

●構音障害に関する検査

3種類の検査に大別される。

□【 選別検査 】…短時間に，構音障害の有無を判別する検査。

・よく使われる検査として，「**ことばのテストえほん**」がある。

・**就学時健康診断**において，この種の検査が実施される。

□【 予測検査 】…子どもの構音の誤りの1～2年後を予測し，その時点での指導が必要であるか否かを判断する。

□【 診断検査 】…構音障害が疑われる児童生徒の構音の状態を詳しく検査する。具体的には，以下の4種からなる。

・構音の状態を把握する検査
（単音節構音検査，**単語**構音検査，文章構音検査）

・**聴覚的弁別能力**を把握する検査

・**発語器官**(唇，舌，口蓋等)の形態や機能を把握する検査

・その他の検査

●吃音に関する検査

□吃音の種類(連発性，**伸発性**，難発性)，頻度，**一貫性**，適応性を調べる。

□「**ジャックと豆の木**」の文章による検査が有名。

□こうした発語の検査と併行して，**心理面**の検査も行う。次テーマを参照のこと。

---

❶ここでの記述は，国立特別支援教育総合研究所『特別支援教育の基礎・基本(新訂版)』ジアース教育新社(2015年)の299～301ページを参考にしている。

2 主な言語検査

子どもを対象とした言語検査としては，以下のものが知られている。

●**ITPA言語学習能力診断検査**

ITPA言語学習能力診断検査については，やや詳しく紹介する❷。

□コミュニケーションに必要な心理的機能を測定。イリノイ大学の**カーク**が考案。

□適用年齢は，**3歳〜10歳未満**。

□**回路**(聴覚，音声・視覚，運動)，**過程**(受容，連合，表現)，**水準**(表象，自動)の3次元を組み合わせた10の下位検査からなる。

●**その他の検査**

ほか，以下のものを知っておこう。

□絵画語い発達検査 （3歳〜12歳） ＊PVTと略記	○4コマの絵から，検査者のいう単語にふさわしい絵を選択させる。 ○**語い年齢**と評価年齢を算出。
□S－S法言語発達遅滞検査 （1歳〜6歳）	○言語の記号形式，指示内容関係の段階に即した一貫した評価が可能。 ○**言語発達遅滞児**の指導方針の樹立に寄与。
□ことばのテストえほん (幼児〜小学校低学年)	○**言語障害**のスクリーニングテスト。 ○ことばの理解力テスト，発音のテストなど，4つの下位検査から構成される。
□構音検査 (幼児〜小学校低学年)	○日本聴能言語士協会，日本音声言語医学会が編纂。 ○**構音**の誤りの有無を系統的に判断。
□乳幼児のコミュニケーション発達アセスメント （2歳程度まで）	○ASCと略記される。 ○**伝達機能**(要求伝達系，相互伝達系)と**音声言語**(音声言語理解，音声言語表出)の4つの側面から評価。
□言語・コミュニケーション発達スケール （0歳〜6歳）	○言葉の発達を，言語表出，言語理解，コミュニケーションの3つの側面から評価。 ○**LC発達年齢**と発達指数を算出する。
□TK式言語発達診断検査 (幼児〜小学校低学年)	○語い，発音，**音韻分類**，及び読字の4つの側面から言葉の発達を診断。 ○文字を教えてよいか否かを判断。

❷Illinois Test of Psycholinguistic Abilitiesの略をとってITPA検査という。

テーマ 58 ● 障害の診断・検査

性格検査

頻出度 C

ここが出る! ▶▶

- **障害のある子どもに関わるアセスメントには，性格検査も含まれる。説明文と検査の名称を結びつけさせる問題が頻出である。**
- **とくに，曖昧な刺激に対する反応をみる投影法による検査がよく出る。重点的にみておこう。**

障害のある子どもは，障害に対する劣等感などから，性格が不安定になっていることがある。**性格検査**の技法を知っておくことも重要である。

1 性格検査の分類

性格検査の技法は，おおよそ，以下の4つに分かれる。

□【　作業法　】…特定の作業を課し，その結果や反応様式を手がかりに，性格特性を把握しようという方法。被験者にテストの意味や意図が分かりにくいので，反応が意識的に歪曲されることが少なくなる。

□【　投影法　】…曖昧な刺激に対する反応をもとに，性格特性を把握しようとする方法。意味が明確でない絵などを見せられた時の反応には，個人の性格特性が反映されるであろう，という前提に立つ。

□【　質問紙法　】…性格特性に関する質問を盛り込んだ質問紙を配布し，回答してもらう方法。統計的な処理ができるよう，いくつかの選択肢を設けて，該当するものに○をつけてもらう形式が採られる。

□【　描画法　】…被験者が描いた絵画から，性格特性を推し測る方法。

2 投影法による性格検査

試験でよく問われるのは，**投影法**による性格検査である。

□P−Fスタディ❶ （4歳〜成人）	○欲求不満を呈している人物を含む絵を提示し，当該の人物の立場になって応答させる。 ○**ローゼンツワイク**が考案。
□主題統覚検査 （児童〜成人）	○TATと略称される。 ○絵を提示して，その絵に関する物語をつくらせ，それをもとに性格特性を把握する。

❶絵画フラストレーションテスト（Picture−Frustration Study）の略称。

□文章完成テスト（小学生～成人）	○未完成の文章を提示し，それを自由に完成させるもの。 ○SCTと略称される。
□ロールシャッハ・テスト（幼児～成人）	○左右対称の図版を提示し，それに対する反応の形式や内容を分析することにより，対象者の性格を把握。

3 その他の性格検査

その他の技法による検査のうち，代表的なものを知っておこう。内田・クレペリン検査などは，企業の採用試験でもよく使われる。

● 作業法

□内田・クレペリン検査（中学生～成人）	○隣り合った1桁の数字を足し，答えの1の位の数字をその間に書き込む作業を行わせる。 ○分ごとの作業量曲線から，性格特性を把握。

● 質問紙法

□矢田部・ギルフォード性格検査（6歳～成人）	○抑うつ性，劣等感，支配性，外向性など，12の性格特性を測る120の質問項目。 ○YG性格検査ともいう。
□ミネソタ多面人格目録（15歳～成人）	○心気症，抑うつ，ヒステリーなどの尺度，550項目の質問項目を含む。 ○MMPIテストともいう。
□モーズレイ性格検査（16歳～成人）	○内向／外向，神経症的傾向の2つの性格特性を把握。アイゼンクが考案。 ○MPIテストともいう。

● 描画法

□【 HTPテスト 】…家屋画，樹木画，人物画を描かせ，それを分析することでパーソナリティーを推し測る❷。バックが考案。

□【 バウム・テスト 】…「実のなる一本の木を描いてください」という指示を出して，自由に樹木画を描かせるもの。コッホが考案。

□【 動的家族描画法 】…家族で何かしている場面を描かせ，それをもとに，家族関係や心理状況を分析する。

❷House Tree Person Testの略称である。

テーマ 59

● 障害の診断・検査

特別支援教育で用いられる指導法

ここが出る! ▶▶

- **特別支援教育の現場でよく用いられる指導法について知っておこう。それぞれの方法について，内容や創案者の名前を選ばせる問題が多い。対応できるようにしよう。**
- **理学療法＝PTなど，アルファベットによる略称も要注意。**

1 特別支援教育で用いられる指導法

特別支援教育で用いられる指導法としては，以下のようなものがある。

●身体能力に関わるもの

□【 ムーブメント教育 】…子どもが自分の体を動かすことで，感覚や運動技能を習得する。フロスティッグが考案。

□【 作業療法 】…作業活動を通して，障害の軽減や社会生活への適応力の向上を図り，自立へとつなげる。OTと略称。

□【 理学療法 】…電気刺激を加えるなどの物理的手段により，基本的動作能力を高める。身体に障害のある者が対象。PTと略称される。

□【 リトミック教育 】…音楽と身体活動を融合させることで，リズム感覚を育む。ダルクローズが考案。

□【 動作法 】…脳性まひ児の訓練法。子どもが身体を動かす時の心的過程を援助。成瀬悟策が考案。

□【 ボバースアプローチ 】…脳性まひ等の中枢神経疾患をもつ人の全人格的な治療概念。

●コミュニケーション能力に関わるもの

□【 感覚統合法 】…運動遊具を用いた活動によって，自発的な適応反応を高める。発達障害児を対象。エアーズが考案。

□【 ソーシャルスキルトレーニング 】…社会生活を営むのに必要な技能高める。Social Skills Trainingの頭文字をとって，SSTと略記。

□【 TEACCHプログラム 】…コミュニケーションに障害を持つ子どもの治療プログラム。ショプラーが考案。

□【 言語聴覚療法 】…言語能力や聴覚能力の向上により，コミュニケーション能力を高める。Speech Therapyを略してSTという。

□【 応用行動分析 】…強化や反応形成(シェイピング)によって知識や

技能をつけさせる。主に自閉症児を対象。

□【 PECS 】…絵カードを交換することでコミュニケーションを図る。アンディ・ボンディらが考案。AACの一種でもある。

●**言語障害に関わるもの**

□【 マカトン法 】…手話を使ったコミュニケーション。手指によるサイン(マカトンサイン＊以下は例)と話し言葉を併用。

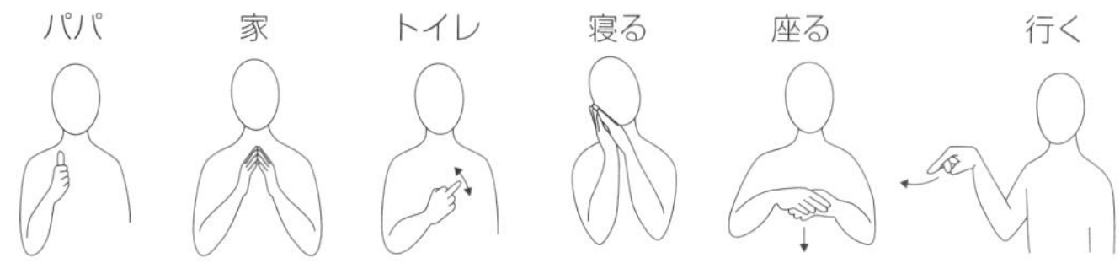

□【 インリアルアプローチ 】…言語発達に遅れある子どもへの働きかけ。関わる大人の姿勢を重視。リタ・ワイズが考案。

□【 スピーチカウンセリング 】…カウンセラーの言語的コミュニケーションを通した，言語面での適応上の課題を克服。

●**その他**

□【 箱庭療法 】…箱庭の内部にミニチュアの世界をつくらせ，それをもとに，対象者の無意識の世界を推し測る。ローエンフェルドが考案。

□【 ポーテージプログラム 】…子どもの発達に応じた個別プログラム。0～6歳の乳幼児が対象。家庭での指導が中心。

2 過去問

最後に，本テーマの内容に関わる過去問にあたってみよう。

次の語句の組み合わせは，心理療法・指導法とそれを開発した人物の組み合わせである。①～⑤の中から間違っているものを1つ選べ。

〈岐阜県〉

① ムーブメント教育法 ―――― フロスティッグ
② 感覚統合法 ―――― エアーズ
③ 非指示的療法・来談者中心療法 ―――― ロジャース
④ TEACCHプログラム ―――― ショプラー
⑤ 箱庭療法 ―――― モレノ

〈解答〉⑤(モレノは，ソシオメトリックテストを考案した人物)

テーマ 60

● 障害の診断・検査

障害の発見に関わる制度

ここが出る! ▶▶

・幼児健康診査と就学時健康診断の概要事項(実施主体,検査項目など)について押さえよう。正誤判定の問題が多い。

・障害の発見や相談・支援に関わる主な機関について知っておこう。説明文と機関の名称を対応させる問題が頻出。

1 幼児健康診査

幼児(満1歳から小学校就学の始期に達するまでの者)については,以下の診査の実施が,**市町村**に義務づけられる(**母子保健法**第12条)。

●概要

	対象	目的
□1歳6カ月児健康診査	満1歳6カ月から2歳未満	**運動機能**,視聴覚等の障害,**精神発達**の遅滞等,障害のある幼児を早期に発見し,適切な指導を行い,障害の進行を未然に防止。
□3歳児健康診査	満3歳から4歳未満	視覚,聴覚,運動,**発達**等の障害,その他疾病及び異常を早期に発見し,適切な**指導**を行い,障害の進行を未然に防止。

●検査項目

一般健康診査の項目は次のとおり。⑤と⑥は,3歳児健康診査のみ。

□①**身体発育**状況,②**栄養**状態,③脊柱及び**胸郭**の疾病及び異常の有無,④**皮膚**の疾病の有無,⑤**眼**の疾病及び異常の有無,⑥耳,鼻及び咽頭の疾病及び異常の有無,⑦歯及び口腔の疾病及び異常の有無,⑧**四肢運動障害**の有無,⑨精神発達の状況,⑩**言語障害**の有無,⑪予防接種の実施状況,⑫育児上の問題となる事項

2 就学時の健康診断

学校保健安全法第11条の規定により,市町村教育委員会は,**就学時の健康診断**を実施しなければならない。

●概要

□対象は,小学校等への**就学予定者**。

□目的は,小学校等へのはじめての就学に当たって,**治療**の勧告,保健上必要な助言を行うとともに,適正な**就学**を図ること。

● **検査項目**

学校保健安全法施行令第２条にて，以下の項目が規定されている。

□①栄養状態，②**脊柱**及び胸郭の疾病及び異常の有無，③**視力**及び聴力，④眼の疾病及び異常の有無，⑤**耳鼻咽頭疾患**及び皮膚疾患の有無，⑥歯及び**口腔**の疾病及び異常の有無，⑦その他の疾病及び異常の有無

● **就学時の健康診断後の対応**

□**市町村教育委員会**は，担当医師及び歯科医師の所見に照らして，**治療**を勧告し，保健上必要な助言を行う。

□義務教育の就学の**猶予**・免除，又は**特別支援学校**への就学に関する指導を行う等，適切な措置をとる❶。

2 障害の発見や相談・支援に関わる主な機関

障害の発見や相談・支援に関わって，保健，福祉，教育，および就労の関係各機関が存在する❷。以下のものを知っておこう。

□【　市町村保健センター　】…住民に対する健康相談，保健指導，健康診査その他地域保健に関して必要な事業を行う。

□【　保健所　】…児童福祉及び母子保健や身体障害者等の福祉の分野で大きな役割を果たしている。

□【　福祉事務所　】…福祉六法に定める援護，育成，更生の措置を担当している。

□【　児童相談所　】…児童に関する様々な相談に応じ，児童や保護者に対して，必要な指導や児童福祉施設入所等の措置を行う。

□【　児童福祉施設　】…乳幼児健康診査等において障害が発見された後の対応として，その後に専門的な療育や相談が行われる場。

⏱□【　発達障害者支援センター　】…地域における発達障害に対する取組を総合的に行う拠点として，設置されている。

□【　ハローワーク　】…障害者の態様や職業適性等に応じて求職から就職後のアフターケアに至るまでの一貫した職業紹介・指導等を実施。

□【　地域障害者職業センター　】…障害のある人の職業リハビリテーションを，専門的かつ総合的に実施。

❶いわゆる就学指導である。就学指導については，テーマ６を参照。

❷文部科学省・厚生労働省「障害のある子どものための地域における相談支援体制整備ガイドライン（試案）」（2008年３月）の参考資料２を参照。

試験直前ファイナルチェック

●Answer●

□1　乳幼児の発達検査のうち，運動，社会性，および言語の3領域について発達年齢を算出するものを，新版K式発達検査という。 →P.154

1　×
正しくは，遠城寺式・乳幼児分析的発達検査法である。

□2　ウェクスラーの児童用知能検査(WISC-V)は，16の下位検査からなる。 →P.156

2　○

□3　視力検査では，切れ目幅1.5mmのランドルト環を10mの距離から識別できる場合，視力1.0とみなされる。 →P.158

3　×
10mではなく，5mである。

□4　乳幼児の聴力検査の一つである，条件詮索反応聴力検査の略称は，BOAである。 →P.161

4　×
BOAではなく，CORである。

□5　言語検査の一つである，言語・コミュニケーション発達スケールでは，語い年齢と発達指数を算出する。 →P.163

5　×
語い年齢ではなく，LC発達年齢である。

□6　左右対象の図を提示し，それに対する反応を分析することで，対象者の性格を把握する性格検査を，ロールシャッハ・テストという。 →P.165

6　○

□7　MMPIテストは，作業法による性格検査である。 →P.165

7　×
質問紙法である。

□8　理学療法は，OTと略称される。 →P.166

8　×
PTと略される。

□9　運動遊具を用いた活動によって，自発的な適応反応を高める感覚統合法は，ショプラーによって考案された。 →P.166

9　×
ショプラーではなく，エアーズである。

□10　母子保健法は，市町村に対し，1歳6カ月児健康診査と，3歳児健康診査を行うことを義務づけている。 →P.168

10　○

□11　発達障害者に対する取組を行う，地域の拠点として，市町村保健センターが置かれている。 →P.169

11　×
正しくは，発達障害者支援センターである。

時事事項

テーマ 61

● 時事事項

ICF(生活機能と障害の分類法)

ここが出る! ▶▶

- **人間の障害を分類するための枠組みとして，ICFというものがある。そこでは，障害をどのようなものとしてとらえているか。**
- **ICFの図の空欄補充問題がよく出る。3つの生活機能と，それらに影響する2つの背景因子という，基本的な骨格を押さえよう。**

2001年5月，WHOは「**国際生活機能分類(ICF)**」を採択した。

1 国際生活機能分類(ICF)とは

概念，特徴，および効果という観点から，基本事項を押さえよう❶。

●概念

□【　国際生活機能分類　】…人間の障害を分類するための国際的な枠組み。ICF❷と略称される。

□人間の生活機能を，①**心身機能**・身体構造，②活動，③**参加**という3つの次元で構成。これらに支障がある状態を**障害**ととらえる。

□それらに影響を及ぼす背景因子として，**環境**因子と**個人**因子を想定。

●特徴

□環境因子という観点を加え，たとえば，**バリアフリー**等の環境を評価できるように構成されている。

●期待される効果

□障害や疾病を持った人やその家族，保健・医療・**福祉**等の幅広い分野の従事者が，ICFを用いることにより，**障害**や疾病の状態についての**共通理解**を持つことができる

□様々な障害者に向けたサービスを提供する施設や機関などで行われるサービスの**計画**や評価，**記録**などのために実際的な手段を提供することができる。

□障害者に関する様々な調査や**統計**について比較検討する**標準的**な枠組みを提供することができる。

---

❶厚生労働省ホームページに掲載されている「国際生活機能分類(日本語版)」による。
❷International Classification of Functioning, Disability and Healthの略。

2 ICFの詳説

「特別支援学校小・中学部学習指導要領解説(自立活動編)」に，図も交えた解説が出ている。

●経緯

□1980年にWHO(世界保健機関)が「**国際障害分類(ICIDH)**」を発表し，その中では疾病等に基づく個人の様々な状態をインペアメント，ディスアビリティ，**ハンディキャップ**の概念を用いて分類した。

□ICIDHについては，各方面から，疾病等に基づく状態の**マイナス**面のみを取り上げているとの指摘があった。

□そこで，WHOは検討を重ね，2001年5月の総会において，従来のICIDHの改訂版として「**国際生活機能分類(ICF)**」を採択した。

●ICFとは

□ICFでは，人間の生活機能は「**心身機能**・身体構造」，「**活動**」，「**参加**」の3つの要素で構成されており，それらの生活機能に支障がある状態を「障害」と捉えている。

□そして，生活機能と障害の状態は，**健康状態**や**環境因子**等と相互に影響し合うものと説明され，構成要素間の相互関係については，以下の図のように示されている。

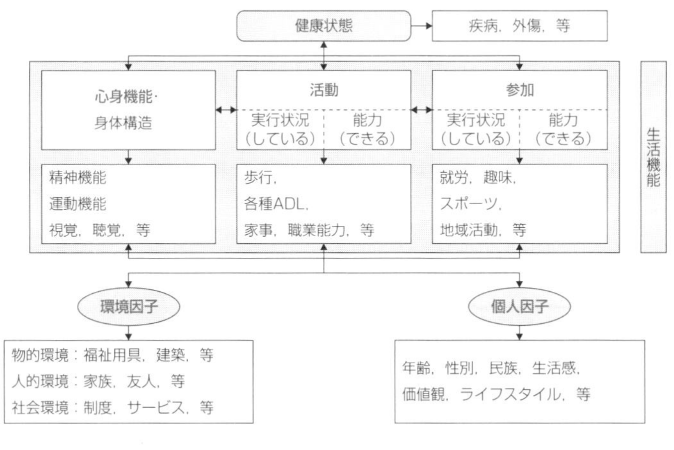

テーマ 62 ● 時事事項

障害者の権利に関する条約

ここが出る! ▶▶

- 障害者の権利に関する条約は，どのようなことを目的としているか。第１条の空欄補充問題の出題が予想される。
- 教育についての障害者の権利を実現させるため，締約国はどのような措置をとることとされているか。

2006年12月，国連総会（ニューヨーク）にて，**障害者の権利に関する条約**が採択された。わが国は，2007年９月，同条約に署名している。重要条文（日本政府公定訳）を読んでみよう。

1 第１条，第７条

●第１条（目的）

□この条約は，すべての**障害者**によるあらゆる**人権**及び基本的自由の完全かつ**平等**な享有を促進し，保護し，及び確保すること並びに障害者の固有の**尊厳**の尊重を促進することを目的とする。

□障害者には，長期的な身体的，精神的，知的又は感覚的な**機能障害**であって，様々な障壁との相互作用により他の者との**平等**を基礎として社会に完全かつ効果的に**参加**することを妨げ得るものを有する者を含む。

●第７条（障害のある児童）

□締約国は，障害のある児童が，自己に影響を及ぼす全ての事項について自由に自己の**意見**を表明する権利並びにこの権利を実現するための障害及び年齢に適した**支援**を提供される権利を有することを確保する。この場合において，障害のある児童の意見は，他の児童との**平等**を基礎として，その児童の年齢及び**成熟度**に従って相応に考慮されるものとする。

2 第24条

第24条は，障害者の**教育**について規定した重要な条文である。

●第１項

締約国は，教育についての障害者の権利を認める。…次のことを目的とするあらゆる段階における障害者を**包容**する教育制度及び**生涯学習**を確保する。

□人間の**潜在能力**並びに尊厳及び自己の価値についての意識を十分に発達させ，並びに**人権**，基本的自由及び人間の**多様性**の尊重を強化すること。

□障害者が，その人格，**才能**及び創造力並びに精神的及び身体的な**能力**をその可能な**最大限度**まで発達させること。

□障害者が自由な社会に効果的に**参加**することを可能とすること。

●第２項

締約国は，１の権利の実現に当たり，次のことを確保する。

□障害者が障害を理由として教育制度一般から**排除**されないこと及び障害のある児童が障害を理由として**無償**のかつ義務的な初等教育から又は**中等教育**から排除されないこと。

□障害者が，他の者と**平等**に，自己の生活する**地域社会**において，包容され，質が高く，かつ，**無償**の初等教育の機会及び中等教育の機会を与えられること。

□個人に必要とされる**合理的配慮**が提供されること。

□障害者が，その効果的な教育を容易にするために必要な**支援**を教育制度一般の下で受けること。

□学問的及び社会的な**発達**を最大にする環境において，完全な**包容**という目標に合致する効果的で**個別化**された支援措置がとられることを確保すること。

●第３項

締約国は，次のことを含む適当な措置をとる。

□**点字**，代替的な文字，意思疎通の補助的及び代替的な形態，手段及び様式並びに適応及び移動のための技能の習得並びに障害者相互による支援及び助言を容易にすること。

□**手話**の習得及び聴覚障害者の社会の言語的な**同一性**の促進を容易にすること。

□視覚障害若しくは聴覚障害又はこれらの**重複障害**のある者（特に児童）の教育が，その個人にとって最も適当な言語並びに**意思疎通**の形態及び手段で，かつ，**学問的**及び社会的な発達を最大にする環境において行われることを確保すること。

テーマ 63 ● 時事事項

障害者基本法・障害者基本計画

ここが出る! ▶▶

- 障害者基本法は，1970年に制定された基本法規である。法律の目的と，障害者の定義の条文がよく出る。
- 障害者の教育について定めた第16条は最頻出。「共に学ぶ」という，インクルージョンの理念が底にある。

1 障害者基本法第１条

第１条では，法の目的が定められている。

□この法律は，全ての国民が，障害の有無にかかわらず，等しく**基本的人権**を享有するかけがえのない個人として尊重されるものであるとの理念にのっとり，全ての国民が，**障害**の有無によって分け隔てられることなく，相互に人格と**個性**を尊重し合いながら**共生**する社会を実現するため，障害者の自立及び**社会参加**の支援等のための施策に関し，基本原則を定め，及び国，**地方公共団体**等の責務を明らかにするとともに，障害者の**自立**及び社会参加の支援等のための施策の基本となる事項を定めること等により，障害者の自立及び社会参加の支援等のための施策を総合的かつ計画的に推進することを目的とする。

2 障害者基本法第16条，第17条

● **教育（第16条）**

□国及び地方公共団体は，障害者が，その年齢及び**能力**に応じ，かつ，その特性を踏まえた十分な**教育**が受けられるようにするため，可能な限り障害者である児童及び生徒が障害者でない児童及び生徒と共に教育を受けられるよう配慮しつつ，教育の内容及び**方法**の改善及び充実を図る等必要な施策を講じなければならない。（第１項）

□国及び地方公共団体は，前項の目的を達成するため，障害者である児童及び生徒並びにその保護者に対し十分な**情報**の提供を行うとともに，可能な限りその**意向**を尊重しなければならない。（第２項）

□国及び地方公共団体は，障害者である児童及び生徒と障害者でない児童及び生徒との**交流**及び共同学習を積極的に進めることによつて，その**相互理解**を促進しなければならない。（第３項）

□国及び地方公共団体は，障害者の教育に関し，調査及び研究並びに人材の確保及び資質の向上，適切な**教材**等の提供，**学校施設**の整備その他の環境の整備を促進しなければならない。（第４項）

●**療育（第17条）**

□国及び地方公共団体は，障害者である子どもが可能な限りその**身近な場所**において**療育**その他これに関連する支援を受けられるよう必要な施策を講じなければならない。

3 障害者基本計画

最新の第５次計画である（計画期間は2023年度からの５年間）。

●**基本理念**

□障害者を，必要な支援を受けながら，自らの**決定**に基づき社会のあらゆる活動に**参加**する主体として捉え，障害者が自らの能力を最大限発揮し**自己実現**できるよう支援するとともに，障害者の活動を制限し，社会への参加を制約している**社会的な障壁**を除去するため，政府が取り組むべき障害者施策の基本的な方向を定めるものとする。

●**基本原則**

□地域社会における**共生**等，**差別**の禁止，国際的協調，の３つである。

●**教育の振興**

□**障害**の有無によって分け隔てられることなく，国民が相互に**人格**と個性を尊重し合う**共生社会**の実現に向け，可能な限り共に教育を受けることのできる仕組みの整備を進めるとともに，いわゆる「**社会モデル**」❶を踏まえつつ，障害に対する理解を深めるための取組を推進する。

□高等教育を含む学校教育における障害のある幼児児童生徒及び学生に対する**支援**を推進するため，障害のある幼児児童生徒及び学生に対する適切な支援を行うことができるよう**環境**の整備に努めるとともに，**合理的配慮**の提供等の一層の充実を図る。

□障害者が，学校卒業後も含めたその一生を通じて，自らの**可能性**を追求できる環境を整え，地域の一員として豊かな人生を送ることができるよう，生涯を通じて教育や**スポーツ**，文化等の様々な機会に親しむための関係施策を**横断的**かつ総合的に推進するとともに，**共生社会**の実現を目指す。

❶障害は，社会のあり方によって生み出されるという考え方である。

テーマ 64 ● 時事事項

障害者差別解消法

ここが出る! ▶▶

- **障害者差別解消法の第1条は出題頻度が高い。基本的人権，差別，共生といった語句に注意。**
- **法改正により，行政機関だけでなく事業者も，社会的障壁の除去に必要な合理的配慮を義務付けられることになった。**

2016年4月に，**障害を理由とする差別の解消の推進に関する法律**が施行された。略称は，**障害者差別解消法**。重要条文をみていこう。

1 総則

最初の重要個所である。第1条の空欄補充問題がよく出る。

●目的(第1条)

□この法律は，**障害者基本法**の基本的な理念にのっとり，全ての障害者が，障害者でない者と等しく，**基本的人権**を享有する個人としてその尊厳が重んぜられ，その**尊厳**にふさわしい生活を保障される権利を有することを踏まえ，障害を理由とする**差別**の解消の推進に関する基本的な事項，行政機関等及び**事業者**における障害を理由とする差別を解消するための措置等を定めることにより，障害を理由とする差別の解消を推進し，もって全ての国民が，障害の有無によって分け隔てられることなく，相互に人格と**個性**を尊重し合いながら**共生**する社会の実現に資することを目的とする。

●用語の定義(第2条)

□【 障害者 】…身体障害，知的障害，精神障害(**発達障害**を含む。)その他の心身の機能の障害がある者であって，障害及び社会的障壁により継続的に日常生活又は社会生活に相当な制限を受ける状態にあるもの。

□【 社会的障壁 】…障害がある者にとって日常生活又は社会生活を営む上で**障壁**となるような社会における事物，制度，慣行，観念その他一切のもの。

●責務

□**国民**は，第1条に規定する社会を実現する上で障害を理由とする**差別**

の解消が重要であることに鑑み，障害を理由とする差別の解消の推進に寄与するよう努めなければならない。（第 4 条）

□行政機関等及び事業者は，**社会的障壁**の除去の実施についての必要かつ合理的な配慮を的確に行うため，自ら設置する**施設**の構造の改善及び設備の整備，関係職員に対する研修その他の必要な環境の整備に努めなければならない。（第 5 条）

2 障害を理由とする差別を解消するための措置

□政府は，障害を理由とする差別の解消の推進に関する施策を総合的かつ一体的に実施するため，障害を理由とする差別の解消の推進に関する**基本方針**を定めなければならない。（第 6 条）

□行政機関等は，その事務又は事業を行うに当たり，障害を理由として障害者でない者と**不当な差別的取扱い**をすることにより，障害者の**権利利益**を侵害してはならない❶。（第 7 条第 1 項）

□行政機関等は，その事務又は事業を行うに当たり，障害者から現に**社会的障壁**の除去を必要としている旨の意思の表明があった場合において，その実施に伴う負担が過重でないときは，障害者の**権利利益**を侵害することとならないよう，当該障害者の性別，年齢及び**障害**の状態に応じて，社会的障壁の除去の実施について必要かつ**合理的**な配慮をしなければならない❷。（第 7 条第 2 項）

□国及び地方公共団体は，障害者及びその家族その他の関係者からの障害を理由とする差別に関する**相談**に的確に応ずるとともに，障害を理由とする差別に関する**紛争**の防止又は解決を図ることができるよう必要な体制の整備を図るものとする。（第14条）

□国及び地方公共団体の機関であって，医療，介護，教育その他の障害者の**自立**と社会参加に関連する分野の事務に従事するものは，当該地方公共団体の区域において関係機関が行う障害を理由とする差別に関する相談及び当該相談に係る事例を踏まえた障害を理由とする差別を解消するための取組を効果的かつ円滑に行うため，関係機関により構成される**障害者差別解消支援地域協議会**を組織することができる。（第17条第 1 項）

❶事業者も同じである（第 8 条第 1 項）。
❷法改正により，事業者も合理的な配慮は義務となった（第 8 条第 2 項）。

テーマ 65

● 時事事項

障害者差別の解消の推進に関する対応指針

ここが出る! ▶▶

- **障害者に対する不当な差別的取扱いは禁止され，社会的障壁を除去するための合理的配慮が求められる。後者の具体例を知っておこう。**
- **合理的配慮は3つのタイプに分かれる。こういう枠組みを念頭に置くと，それぞれの事例が頭に入りやすい。**

「文部科学省所管事業分野における障害を理由とする差別の解消の推進に関する対応指針について」(2015年11月)で言われている，「**合理的配慮**」についてである。

1 合理的配慮の基本的な考え方

必要となる合理的配慮は，状況に応じて異なる。

□関係事業者は，その事業を行うに当たり，障害者から現に**社会的障壁**の除去を必要としている旨の**意思**の表明があった場合において，その実施に伴う負担が過重でないときは，障害者の**権利利益**を侵害することとならないよう，当該障害者の性別，年齢及び**障害**の状態に応じて，社会的障壁の除去の実施について必要かつ**合理的な配慮**をするように努めなければならない。

□合理的配慮は，障害の特性や社会的障壁の除去が求められる具体的場面や状況に応じて異なり，多様かつ**個別性**の高いものであり，当該障害者が現に置かれている状況を踏まえ，社会的障壁の除去のための手段及び方法について，必要かつ**合理的**な範囲で，柔軟に対応がなされるものである。

□なお，合理的配慮を必要とする障害者が多数見込まれる場合，障害者との関係性が**長期**にわたる場合等には，その都度の合理的配慮の提供ではなく，後述する**環境**の整備に取り組むことを積極的に検討することが望ましい。

2 合理的配慮の具体例

大きく3つに分かれる。具体例は，原文に当たって他の例も見ておきたい。合理的配慮の定義は193ページを参照。

●**物理的環境への配慮や人的支援の配慮の具体例**

□学校，社会教育施設，スポーツ施設，文化施設等において，災害時の**警報音**，緊急連絡等が聞こえにくい障害者に対し，災害時に関係事業者の管理する施設の職員が直接災害を知らせたり，緊急情報・館内放送を視覚的に受容することができる警報設備・**電光表示機器**等を用意したりすること。

□**介助**等を行う学生，保護者，支援員等の教室への入室，授業や試験での**パソコン**入力支援，移動支援，待合室での待機を許可すること。

●**意思疎通の配慮の具体例**

□学校，社会教育施設，スポーツ施設，文化施設等において，**筆談**，要約筆記，読み上げ，**手話**，**点字**など多様なコミュニケーション手段や分かりやすい表現を使って説明をするなどの意思疎通の配慮を行うこと。

□知的障害のある利用者等に対し，抽象的な言葉ではなく，**具体的**な言葉を使うこと。

□**情報保障**の観点から，見えにくさに応じた情報の提供，聞こえにくさに応じた視覚的な情報の提供，見えにくさと聞こえにくさの両方がある場合に応じた情報の提供，**知的障害**に配慮した情報の提供を行うこと。

●**ルール・慣行の柔軟な変更の具体例**

□学校，社会教育施設，スポーツ施設，文化施設等において，事務手続の際に，職員や教員，支援学生等が必要書類の**代筆**を行うこと。

□障害者が立って列に並んで順番を待っている場合に，周囲の理解を得た上で，当該障害者の順番が来るまで**別室**や席を用意すること。

□他人との接触，多人数の中にいることによる緊張のため，不随意の**発声**等がある場合，緊張を緩和するため，当該障害者に説明の上，施設の状況に応じて**別室**を用意すること。

□入学試験や検定試験において，本人・保護者の希望，障害の状況等を踏まえ，**別室**での受験，試験時間の**延長**，点字や**拡大文字**，**音声読み上げ機能**の使用等を許可すること。

□発達障害等のため，人前での発表が困難な児童生徒等に対し，代替措置として**レポート**を課したり，発表を**録画**したもので学習評価を行ったりすること。

テーマ 66

● 時事事項

障害者総合支援法

ここが出る! ▶▶

- **2013年 4 月に障害者自立支援法が障害者総合支援法に変わった。変更のポイントは何か。**
- **障害者総合支援法で規定されている，障害福祉サービスの体系を知っておこう。特別支援学校に勤めるにあたって，必要な知識となる。**

1 障害者総合支援法

障害福祉サービスの体系を定めた法律である❶。

□2013年 4 月に，障害者自立支援法が**障害者総合支援法**に変わった。

□障害者の定義に**難病**等を追加し，重度訪問介護の対象者の拡大，ケアホームの**グループホーム**への一元化などが実施されている。

2 障害福祉サービス(介護給付)

障害者総合支援法で規定されている障害福祉サービスは 2 つに分かれる。まずは**介護給付**である。★は障害児も利用可能。

□【 **居宅介護** 】…ホームヘルプともいう。自宅で，入浴，排せつ，食事の介護等を行う(★)。

□【 **重度訪問介護** 】…重度の肢体不自由者又は重度の知的障害者若しくは精神障害により行動上著しい困難を有する者であって常に介護を必要とする人に，自宅で，入浴，排せつ，食事の介護，外出時における移動支援，入院時の支援等を総合的に行う。

□【 **同行援護** 】…視覚障害により，移動に著しい困難を有する人が外出する時，必要な情報提供や介護を行う(★)。

□【 **行動援護** 】…自己判断能力が制限されている人が行動する時に，危険を回避するために必要な支援，外出支援を行う(★)。

□【 **重度障害者等包括支援** 】…介護の必要性がとても高い人に，居宅介護等複数のサービスを包括的に行う(★)。

□【 **短期入所** 】…ショートステイともいう。自宅で介護する人が病気の場合などに，短期間，夜間も含めた施設で，入浴，排せつ，食事の介護等を行う(★)。

❶本テーマの記述は，厚生労働省ホームページの解説に依拠している。

□【　療養介護　】…医療と常時介護を必要とする人に，医療機関で機能訓練，療養上の管理，看護，介護及び日常生活の世話を行う。

□【　生活介護　】…常に介護を必要とする人に，昼間，入浴，排せつ，食事の介護等を行うとともに，創作的活動又は生産活動の機会を提供する。

□【　施設入所支援　】…施設に入所する人に，夜間や休日，入浴，排せつ，食事の介護等を行う。

3 障害福祉サービス（訓練等給付）

次に，**訓練等給付**である❷。

□【　自立生活援助　】…一人暮らしに必要な理解力・生活力等を補うため，定期的な居宅訪問や随時の対応により日常生活における課題を把握し，必要な支援を行う。

□【　共同生活援助　】…グループホームともいう。夜間や休日，共同生活を行う住居で，相談，入浴，排せつ，食事の介護，日常生活上の援助を行う。

□【　自立訓練（機能訓練）　】…自立した日常生活又は社会生活ができるよう，一定期間，身体機能の維持，向上のために必要な訓練を行う。

□【　自立訓練（生活訓練）　】…自立した日常生活又は社会生活ができるよう，一定期間，生活能力の維持，向上のために必要な訓練を行う。

□【　就労移行支援　】…一般企業等への就労を希望する人に，一定期間，就労に必要な知識及び能力の向上のために必要な訓練を行う。

□【　就労継続支援（A型）　】…一般企業等での就労が困難な人に，**雇用して就労の機会を提供**するとともに，能力等の向上のために必要な訓練を行う。

□【　就労継続支援（B型）　】…一般企業等での就労が困難な人に，**就労する機会を提供**するとともに，能力等の向上のために必要な訓練を行う❸。

□【　就労定着支援　】…一般就労に移行した人に，就労に伴う生活面の課題に対応するための支援を行う。

❷自立生活援助と就労定着支援は，2018年４月の法改正で新設されたものである。

❸Ａ型とＢ型の違いは，雇用契約の有無である。特別支援学校等卒業後，すぐにB型の利用を希望する場合，在学中に就労アセスメントを受ける。

時事事項　障害者総合支援法

テーマ 67 ● 時事事項

教育と福祉

頻出度 C

ここが出る! ▶▶
- **障害児への支援は，教育・家庭・福祉の三角形で行う。そのための4つの方策を知っておこう。**
- **通所や訪問により，障害児を支援する制度がある。利用者が多い放課後等デイサービスについて，理解を深めておこう。**

1 教育と福祉との連携を推進するための方策

文部科学省「家庭と教育と福祉の連携『トライアングル』プロジェクト❶報告」（2018年３月）にて，４つの方策が示されている。

□教育委員会と福祉部局，学校と**障害児通所支援事業所**等との関係構築の「場」の設置。（１）

□学校の教職員等への障害のある子供に係る**福祉制度**の周知。（２）

□学校と**障害児通所支援事業所**等との連携の強化。（３）

□**個別の支援計画**の活用促進。（４）

2 具体的な内容

４つの方策の具体的な内容である。

●（１）について

□国は，**障害児通所支援事業所**等と学校との関係を構築するため，各地方自治体において，教育委員会と福祉部局が共に主導し，「**連絡会議**」などの機会を定期的に設けるよう促すこと。

●（２）について

□国は，**放課後等デイサービス**や保育所等訪問支援事業を含む障害のある子供に係る福祉制度について，校長会や教職員の研修会等において福祉部局や**障害児通所支援事業所**等が説明する機会を確保することを通じて，地方自治体が，制度の周知を図るよう促すこと

□特に，保育所，幼稚園，認定こども園については，**巡回支援専門員**を活用した知識・技術の普及を促すこと。

---

❶教育，家庭，福祉の三角形（トライアングル）の連携である。

●(3)について

□国は，学校と障害児通所支援事業所等間の連携の方法について，両者で共有すべき情報や，日々の引継ぎの方法，引継ぎの実践例，緊急時の対応，個人情報の取扱いなどの連携の方策について，円滑に実施できている地方自治体の好事例を周知し，家庭・教育・福祉が情報共有できる仕組みの例を示すこと。

●(4)について

□国は，各学校において，「個別の教育支援計画」❷が作成される場合，保護者や医療，福祉，保健，労働等の関係機関が連携して，しっかりと作成されるよう，必要な規定を省令に置くこと。

3 障害児通所支援

通所や訪問により，様々な支援を受けられる制度である。児童福祉法に依拠する。以下は，厚生労働省の解説である。

●種類

□【 児童発達支援 】…日常生活における基本的な動作の指導，知識技能の付与，集団生活への適応訓練などの支援を行う。

□【 医療型児童発達支援 】…日常生活における基本的な動作の指導，知識技能の付与，集団生活への適応訓練などの支援及び治療を行う。

□【 放課後等デイサービス 】…授業の終了後又は休校日に，児童発達支援センター等の施設に通わせ，生活能力向上のための必要な訓練，社会との交流促進などの支援を行う。

□【 居宅訪問型児童発達支援 】…重度の障害等により外出が著しく困難な障害児の居宅を訪問して発達支援を行う。

□【 保育所等訪問支援 】…保育所，乳児院·児童養護施設等を訪問し，障害児に対して，障害児以外の児童との集団生活への適応のための専門的な支援などを行う。

●放課後等デイサービス

□上記の中で最も利用者が多いのは，放課後等デイサービスである。

□対象は，学校教育法に規定する学校(幼稚園，大学を除く)に就学している障害児である❷。

❷個別の教育支援計画については，28ページを参照。

❷放課後等デイサービスは，障害児の学童保育とも言われる。

テーマ 68

● 時事事項

障害者関連のマーク・障害者手帳

ここが出る！ ▶▶

- 街中や施設では障害者関連のマークを見かける。マークを提示して，名称や概要文と結び付けさせる問題がよく出る。
- 障害者には手帳が交付される。交付権者，対象の障害種，等級分けの３点を押さえよう。

1 障害者関連のマーク

内閣府のホームページでは，12のマークが挙げられている。

● 障害者関連のマーク

● 説明

□①は，**障害者**が利用できる建物，施設であることを明確に表すための**世界共通**のシンボルマーク。

□③は，**肢体不自由**であることを理由に免許に条件を付されている方が運転する車に表示するマーク。

□⑤は，身体障害者補助犬法の啓発のためのマーク。身体障害者補助犬とは，盲導犬，介助犬，**聴導犬**をさす。

□⑥は，聞こえない人・聞こえにくい人への配慮を表すマーク。

□**オストメイト**とは，がんなどで人工肛門・人工膀胱を造設している排泄機能に障害のある障害者のこと(⑦)。

□⑧は，身体内部に障害がある人のマーク。

□⑩は，**義足**や人工関節を使用している人，内部障害や難病の人，または妊娠初期の人など，援助や配慮を必要とする人のマーク。

□⑫は，耳が聞こえない人，**音声言語障害者**，知的障害者や外国人などが**筆談**でのコミュニケーションの配慮を求めるときに提示するマーク。

2 障害者手帳

厚生労働省ホームページの解説を参照。

●身体障害者手帳

□身体障害者福祉法に定める身体上の障害がある者に対して，**都道府県知事**，指定都市市長又は中核市市長が交付する。

□交付対象の障害種は，①**視覚障害**，②聴覚又は**平衡機能**の障害，③音声機能・言語機能又はそしゃく機能の障害，④**肢体不自由**，⑤心臓・じん臓又は呼吸器の機能の障害，⑥ぼうこう又は直腸の機能の障害，⑦小腸の機能の障害，⑧**ヒト免疫不全ウイルス**による免疫の機能の障害，⑨**肝臓**の機能の障害。

□障害の種類別に重度の側から1級から**6**級の等級が定められている。7級の障害は，単独では交付対象とならない。

●療育手帳

□児童相談所又は知的障害者更生相談所において知的障害と判定された者に対して，都道府県知事又は**指定都市市長**が交付する。

□交付対象は，児童相談所又は知的障害者更生相談所において**知的障害**であると判定された者。

□**重度**(A)とそれ以外(B)に区分。

●精神障害者保健福祉手帳

□精神障害者の社会復帰，自立及び社会参加の促進を図ることを目的として，**都道府県知事**又は指定都市市長が交付する。

□交付対象は，**精神障害**の状態にあると認められた者。

□1級から**3**級の等級に分けられている。

テーマ 69

● 時事事項

発達障害者支援法

ここが出る！ ▶▶

・2016年に発達障害者支援法が改正された。重要なキーワードが盛られた第１条（目的）の空欄補充問題が予想される。

・法改正で新設された基本理念の条文（第２条の２）も要注意。支援は「切れ目」なく，「社会的障壁」の除去を旨とするとある。

1 法律の目的

目的について定めた第１条の空欄補充問題が多い。

□この法律は，**発達障害者**の**心理機能**の適正な発達及び円滑な**社会生活**の促進のために発達障害の症状の発現後できるだけ早期に**発達支援**を行うとともに，切れ目なく発達障害者の支援を行うことが特に重要であることに鑑み，**障害者基本法**の基本的な理念にのっとり，発達障害者が**基本的人権**を享有する個人としての尊厳にふさわしい日常生活又は社会生活を営むことができるよう，発達障害を早期に発見し，発達支援を行うことに関する国及び**地方公共団体**の責務を明らかにするとともに，**学校教育**における発達障害者への支援，発達障害者の就労の支援，**発達障害者支援センター**の指定等について定めることにより，発達障害者の**自立**及び社会参加のためのその生活全般にわたる**支援**を図り，もって全ての国民が，障害の有無によって分け隔てられることなく，相互に**人格**と個性を尊重し合いながら**共生**する社会の実現に資することを目的とする。（第１条）

□毎年，４月２日から４月８日は発達障害啓発週間である。

2 発達障害の定義と基本理念

法改正で新設された，**基本理念**の条文の出題が予想される。

● **定義**

□「発達障害」とは，**自閉症**，アスペルガー症候群その他の広汎性発達障害，**学習障害**，**注意欠陥多動性障害**その他これに類する脳機能の障害であってその症状が通常**低年齢**において発現するものとして政令で定めるものをいう。（第２条第１項）

□【　発達障害者　】…発達障害がある者であって発達障害及び社会的障

壁により日常生活又は社会生活に制限を受けるもの。(第2項)

□【　発達障害児　】…発達障害者のうち**18歳未満**のもの。(第2項)

□【　社会的障壁　】…発達障害がある者にとって日常生活又は社会生活を営む上で障壁となるような社会における事物，制度，慣行，観念その他一切のもの。(第3項)

□【　発達支援　】…発達障害者に対し，その心理機能の適正な発達を支援し，及び円滑な社会生活を促進するため行う個々の発達障害者の特性に対応した医療的，福祉的及び教育的援助。(第4項)

●基本理念

□発達障害者の支援は，全ての発達障害者が**社会参加**の機会が確保されること及びどこで誰と生活するかについての**選択**の機会が確保され，地域社会において他の人々と**共生**することを妨げられないことを旨として，行われなければならない。(第2条の2第1項)

□発達障害者の支援は，**社会的障壁**の除去に資することを旨として，行われなければならない。(第2項)

□発達障害者の支援は，個々の**発達障害者**の性別，年齢，障害の状態及び生活の実態に応じて，かつ，医療，保健，**福祉**，教育，労働等に関する業務を行う関係機関及び民間団体相互の緊密な**連携**の下に，その**意思決定**の支援に配慮しつつ，**切れ目**なく行われなければならない。(第3項)

3 教育

□国及び地方公共団体は，発達障害児が，その年齢及び**能力**に応じ，かつ，その特性を踏まえた十分な**教育**を受けられるようにするため，可能な限り発達障害児が発達障害児でない児童と**共に**教育を受けられるよう配慮しつつ，適切な**教育的支援**を行うこと，**個別の教育支援計画**の作成及び個別の指導に関する計画の作成の推進，**いじめ**の防止等のための対策の推進その他の支援体制の整備を行うことその他必要な措置を講じるものとする。(第8条第1項)

□**大学**及び高等専門学校は，個々の発達障害者の特性に応じ，適切な教育上の**配慮**をするものとする。(第2項)

□市町村は，**放課後児童健全育成事業**について，発達障害児の利用の機会の確保を図るため，適切な配慮をするものとする。(第9条)

テーマ 70 ● 時事事項

障害者雇用

ここが出る! ▶▶

- 就労は，社会とつながる接点となる。障害者雇用促進法の目的と，同法が規定している障害者の法定雇用率を知っておこう。
- 障害者の就労を支援する機関や施策に関する知識を得ておこう。進路指導や職業指導の際に必要となる。

1 障害者雇用促進法

正式名称は「障害者雇用の促進に関する法律」である。

●重要条文

□この法律は，障害者の**雇用義務**等に基づく雇用の促進等のための措置，雇用の分野における障害者と障害者でない者との均等な**機会**及び待遇の確保並びに障害者がその有する能力を有効に発揮することができるようにするための措置，**職業リハビリテーション**の措置その他障害者がその能力に適合する職業に就くこと等を通じてその職業生活において自立することを促進するための措置を総合的に講じ，もつて障害者の職業の**安定**を図ることを目的とする。（第１条）

□すべて事業主は，障害者の雇用に関し，**社会連帯**の理念に基づき，障害者である労働者が有為な職業人として**自立**しようとする努力に対して協力する責務を有するものであつて，その有する能力を正当に**評価**し，適当な**雇用**の場を与えるとともに適正な**雇用管理**を行うことによりその雇用の**安定**を図るように努めなければならない。（第５条）

●障害者の法定雇用率

□法定雇用率は以下である。算定基礎には**精神障害者**も含む。

	2023年度	2024年４月以降
民間企業	2.3%	2.5%
国，地方公共団体，特殊法人等	2.6%	2.8%
都道府県等の教育委員会	2.5%	2.7%
対象事業主の範囲	43.5人以上	40人以上

●特例子会社制度

□事業主が障害者の雇用に特別の配慮をした**子会社**を設立し，一定の要件を満たす場合には，**特例**としてその子会社に雇用されている労働者を親会社に雇用されているものとみなして，実雇用率を算定できる。

□特例子会社の要件は，「雇用される障害者が 5 人以上で，全従業員に占める割合が20%以上」「雇用される障害者に占める重度身体障害者，知的障害者及び精神障害者の割合が30%以上」である。

2 障害者の就労の相談・支援

厚生労働省ホームページ「障害者の方への施策」を参照。

●相談・支援機関

□【　ハローワーク　】…就職を希望する障害者の求職登録を行い，専門職員や職業相談員がケースワーク方式により障害の種類・程度に応じたきめ細かな職業相談・紹介，職場定着指導等を実施する。

□【　地域障害者職業センター　】…障害者に対して，職業評価，職業指導，職業準備訓練，職場適応援助等の専門的な**職業リハビリテーション**，事業主に対する雇用管理に関する助言等を実施する。

□【　障害者就業･生活支援センター　】…障害者の身近な地域において，雇用，保健福祉，教育等の関係機関の連携拠点として，就業面及び生活面における一体的な相談支援を実施する。

□【　障害者職業能力開発学校　】…一般の公共職業能力開発施設において職業訓練を受講することが困難な重度障害者等を対象とした職業訓練を実施する。

□【　発達障害者支援センター　】…発達障害者が充実した生活を送れるように保健，医療，福祉，教育，労働などの関係機関と連携しながら，本人やその家族に対する支援を行うとともに，地域の支援体制の充実を図る。

●就労に向けた支援策

□【　障害者トライアル雇用事業　】…障害者を一定期間（原則 3 か月）試行雇用することにより，適性や能力を見極め，求職者と事業主の相互理解を深めることで，継続雇用への移行のきっかけとしていただくことを目的とする。

□【　職場適応援助者（ジョブコーチ）　】…知的障害者や精神障害者など職場での適応に課題を有する障害者に対して，職場適応援助者（ジョブコーチ）を事業所に派遣し，きめ細かな人的支援を行うことにより，職場での課題を改善し，職場定着を図る。

テーマ 71

● 時事事項

インクルーシブ教育システム

ここが出る! ▶▶

- **「インクルーシブ教育」は，特別支援教育の最も重要な概念である。定義をしっかり覚えよう。**
- **児童生徒の障害の状態に応じてなされる「合理的配慮」は多岐にわたるが，分類の項目としてどのようなものがあるか。**

2012年7月，中央教育審議会は「**共生社会の形成に向けたインクルーシブ教育システム構築のための特別支援教育の推進**」と題する報告を出した。最近の試験で最も出題頻度が高い重要文書である。

1 共生社会

目指すべきは，**共生社会**である。概念を押さえよう。

□「**共生社会**」とは，これまで必ずしも十分に社会参加できるような環境になかった障害者等が，積極的に**参加**・貢献していくことができる社会である。それは，誰もが相互に人格と**個性**を尊重し支え合い，人々の多様な在り方を相互に認め合える**全員参加型**の社会である。このような社会を目指すことは，我が国において最も積極的に取り組むべき重要な課題である。

2 インクルーシブ教育

共生社会を実現させるうえで，**インクルーシブ教育**は重要な戦略となる。

□障害者の権利に関する条約第24条によれば，「インクルーシブ教育システム」（inclusive education system，署名時仮訳：**包容**する教育制度）とは，人間の**多様性**の尊重等の強化，障害者が精神的及び**身体的**な能力等を可能な最大限度まで発達させ，自由な社会に効果的に**参加**することを可能とするとの目的の下，障害のある者と障害のない者が**共に学ぶ仕組み**であり，障害のある者が「general education system」（署名時仮訳：教育制度一般）から排除されないこと，自己の生活する地域において**初等中等教育**の機会が与えられること，個人に必要な「**合理的配慮**」が提供される等が必要とされている。

□**共生社会**の形成に向けて，障害者の権利に関する条約に基づくインクルーシブ教育システムの理念が重要であり，その構築のため，**特別支援教育**を着実に進めていく必要があると考える。

□インクルーシブ教育システムにおいては，同じ場で共に学ぶことを追求するとともに，個別の**教育的ニーズ**のある幼児児童生徒に対して，自立と**社会参加**を見据えて，その時点で教育的ニーズに最も的確に応える指導を提供できる，多様で柔軟な仕組みを整備することが重要である。小・中学校における通常の学級，**通級による指導**，特別支援学級，**特別支援学校**といった，**連続性**のある「多様な学びの場」を用意しておくことが必要である。

□障害者の権利に関する条約第８条には，**障害者**に関する社会全体の意識を向上させる必要性が示され，教育制度のすべての段階において障害者の**権利**を尊重する態度を育成することが規定されている。こうした規定を踏まえれば，学校教育において，障害のある人と障害のない人が触れ合い，**交流**していくという機会を増やしていくことが，特に重要であり，障害のある人と触れ合うことは，**共生社会**の形成に向けて望ましい経験となる。

3 合理的配慮

最も重要なキーワードである。「均衡を失した又は過度の負担を課さないもの」という条件が付いていることにも注意。

●「合理的配慮」の定義

□合理的配慮とは，「障害のある子どもが，他の子どもと平等に「**教育を受ける権利**」を享有・行使することを確保するために，学校の設置者及び学校が必要かつ適当な変更・**調整**を行うことであり，障害のある子どもに対し，その状況に応じて，学校教育を受ける場合に**個別**に必要とされるもの」であり，「学校の設置者及び学校に対して，体制面，財政面において，均衡を失した又は過度の**負担**を課さないもの」，と定義した。

□障害者の権利に関する条約において，「合理的配慮」の否定は，障害を理由とする**差別**に含まれるとされている。

●「均衡を失した」又は「過度の」負担について

上記の定義の下線部についてである。

□「合理的配慮」の決定・提供に当たっては，各学校の**設置者**及び学校が体制面，**財政面**をも勘案し，「均衡を失した」又は「過度の」負担について，**個別**に判断することとなる。

□各学校の設置者及び学校は，障害のある子どもと障害のない子どもが共に学ぶというインクルーシブ教育システムの構築に向けた取組として，「**合理的配慮**」の提供に努める必要がある。その際，現在必要とされている「合理的配慮」は何か，何を**優先**して提供する必要があるかなどについて，**共通理解**を図る必要がある。

●合理的配慮の決定方法

□「合理的配慮」は，一人一人の障害の状態や**教育的ニーズ**等に応じて決定されるものであり，その検討の前提として，各学校の設置者及び学校は，**興味・関心**，学習上又は生活上の困難，**健康状態**等の当該幼児児童生徒の状態把握を行う必要がある。

□これを踏まえて，設置者及び学校と本人及び保護者により，**個別の教育支援計画**を作成する中で，発達の段階を考慮しつつ，「合理的配慮」の観点を踏まえ，「合理的配慮」について可能な限り**合意形成**を図った上で決定し，提供されることが望ましく，その内容を個別の教育支援計画に明記することが望ましい。また，**個別の指導計画**にも活用されることが望ましい。

●基礎的環境整備

□障害のある子どもに対する支援については，法令に基づき又は**財政措置**により，国は全国規模で，都道府県は各都道府県内で，市町村は各市町村内で，**教育環境**の整備をそれぞれ行う。これらは，「合理的配慮」の基礎となる環境整備であり，それを「**基礎的環境整備**」と呼ぶこととする。

□「基礎的環境整備」を進めるに当たっては，**ユニバーサルデザイン**の考え方も考慮しつつ進めていくことが重要である。

□【　ユニバーサルデザイン　】…**あらかじめ**，障害の有無，年齢，性別，人種等にかかわらず多様な人々が利用しやすいよう都市や生活環境をデザインする考え方。

4 合理的配慮の観点

合理的配慮は多岐にわたるが，公的な分類の枠組みが提示されている。項目の空欄補充問題が多い。

〈観点1　教育内容・方法〉
〈教育内容〉
□学習上又は生活上の困難を**改善**・克服するための配慮
　障害による学習上又は生活上の困難を主体的に改善・克服するため，また，**個性**や障害の特性に応じて，その持てる力を高めるため，必要な知識，技能，態度，**習慣**を身に付けられるよう支援する。
□学習内容の**変更**・調整
　認知の特性，身体の動き等に応じて，具体の学習活動の内容や量，評価の方法等を工夫する。障害の状態，発達の段階，年齢等を考慮しつつ，卒業後の生活や**進路**を見据えた学習内容を考慮するとともに，学習過程において**人間関係**を広げることや**自己選択**・自己判断の機会を増やすこと等に留意する。
〈教育方法〉
□情報・**コミュニケーション**及び教材の配慮
□学習機会や**体験**の確保
□心理面・**健康面**の配慮

〈観点2　支援体制〉
□**専門性**のある指導体制の整備
□幼児児童生徒，教職員，保護者，地域の**理解啓発**を図るための配慮
□災害時等の支援体制の整備

〈観点3　施設・設備〉
□校内環境の**バリアフリー**化
□発達，**障害**の状態及び特性等に応じた指導ができる施設・設備の配慮
□災害時等への対応に必要な施設・設備の配慮

5 多様な学びの場

4つの場が想定されている。

□多様な学びの場として，通常の学級，**通級による指導**，特別支援学級，**特別支援学校**それぞれの環境整備の充実を図っていくことが必要である。

テーマ 72

● 時事事項

医療的ケア児支援法

ここが出る！ ▶▶

- **医療的ケア児を包摂する取組について規定した法律が制定された。法の目的と，言葉の定義について定めた第 2 条がよく出る。**
- **医療的ケア児を支援するに際しての基本理念は，どのようなものか。第 3 条の内容に関する正誤判定問題が頻出だ。**

2021年 6 月に，**医療的ケア児及びその家族に対する支援に関する法律**が制定された。略称は，医療的ケア児支援法である。最近の試験では，以下の条文が出題されている。

1 法の目的(第 1 条)

医療的ケア児及びその家族を，社会全体で包摂する。

□この法律は，医療技術の進歩に伴い**医療的ケア児**が増加するとともにその実態が多様化し，医療的ケア児及びその**家族**が個々の医療的ケア児の心身の状況等に応じた適切な支援を受けられるようにすることが重要な課題となっていることに鑑み，医療的ケア児及びその家族に対する**支援**に関し，基本理念を定め，国，地方公共団体等の責務を明らかにするとともに，保育及び**教育**の拡充に係る施策その他必要な施策並びに**医療的ケア児支援センター**の指定等について定めることにより，医療的ケア児の健やかな成長を図るとともに，その家族の**離職**の防止に資し，もって安心して子どもを生み，育てることができる社会の実現に寄与することを目的とする。

2 定義(第 2 条)

言葉の定義である。空欄補充問題が多い。

□「医療的ケア」とは，人工呼吸器による呼吸管理，**喀痰吸引**その他の医療行為をいう。

□「医療的ケア児」とは，日常生活及び社会生活を営むために恒常的に**医療的ケア**を受けることが不可欠である児童(18歳未満の者及び18歳以上の者であって高等学校等に在籍するもの)をいう。

3 基本理念(第３条)

当人や保護者の意思を尊重し，様々な分野が連携して，切れのない支援を実施する。

□医療的ケア児及びその家族に対する支援は，医療的ケア児の日常生活及び社会生活を**社会全体**で支えることを旨として行われなければならない。

□医療的ケア児及びその家族に対する支援は，医療的ケア児が医療的ケア児でない児童と**共に教育を受けられる**よう最大限に配慮しつつ適切に教育に係る支援が行われる等，個々の医療的ケア児の**年齢**，必要とする医療的ケアの種類及び生活の実態に応じて，かつ，医療，保健，**福祉**，**教育**，労働等に関する業務を行う関係機関及び民間団体相互の緊密な**連携**の下に，**切れ目なく**行われなければならない。

□医療的ケア児及びその家族に対する支援は，医療的ケア児が18歳に達し，又は高等学校等を卒業した後も適切な**保健医療サービス**及び福祉サービスを受けながら**日常生活**及び社会生活を営むことができるようにすることにも配慮して行われなければならない。

□医療的ケア児及びその家族に対する**支援**に係る施策を講ずるに当たっては，医療的ケア児及びその**保護者**の意思を最大限に尊重しなければならない。

□医療的ケア児及びその家族に対する支援に係る施策を講ずるに当たっては，医療的ケア児及びその家族がその居住する**地域**にかかわらず等しく適切な支援を受けられるようにすることを旨としなければならない。

4 教育体制の拡充(第10条)

付き添い等の負担を緩和し，保護者のケア離職を防ぐ。

□学校の設置者は，その設置する学校に在籍する医療的ケア児が保護者の**付添い**がなくても適切な医療的ケアその他の支援を受けられるようにするため，**看護師**等の配置❶その他の必要な措置を講ずるものとする。(第２項)

❶学校には，医療的ケア看護職員が置かれる(141ページ参照)。

テーマ **73** ● 時事事項

特別支援教育の推進について（通知）

頻出度 **B**

ここが出る! ▶▶

- **特別支援教育の導入に伴い，学校現場にどのようなことが求められるようになったか。正誤判定の問題がよく出る。**
- **「校内委員会」，「特別支援教育コーディネーター」，「個別の教育支援計画」などのキーワードに着目のこと。**

2007年４月１日，文部科学省は「**特別支援教育の推進について**」と題する通知を出した。重要な部分をみてみよう。

1 特別支援教育の理念

この部分の空欄補充問題がよく出る。

□特別支援教育は，障害のある幼児児童生徒の**自立**や社会参加に向けた主体的な取組を支援するという視点に立ち，幼児児童生徒一人一人の教育的**ニーズ**を把握し，その持てる力を高め，生活や学習上の困難を改善又は**克服**するため，適切な指導及び必要な**支援**を行うものである。

□また，特別支援教育は，これまでの特殊教育の対象の障害だけでなく，知的な遅れのない**発達障害**も含めて，特別な支援を必要とする幼児児童生徒が在籍する**全て**の学校において実施されるものである。

□さらに，特別支援教育は，**障害**のある幼児児童生徒への教育にとどまらず，障害の有無やその他の個々の違いを認識しつつ様々な人々が生き生きと活躍できる**共生社会**の形成の基礎となるものであり，我が国の現在及び将来の社会にとって重要な意味を持っている。

2 特別支援教育を行うための体制の整備及び必要な取組

●特別支援教育に関する校内委員会の設置

□各学校においては，校長の**リーダーシップ**の下，全校的な支援体制を確立し，**発達障害**を含む障害のある幼児児童生徒の実態把握や支援方策の検討等を行うため，校内に特別支援教育に関する**委員会**を設置すること。委員会は，校長，教頭，**特別支援教育コーディネーター**，教務主任，生徒指導主事，**通級指導教室担当教員**，特別支援学級教員，養護教諭，対象の幼児児童生徒の学級担任，学年主任，その他必要と思われる者などで構成すること。

●特別支援教育コーディネーターの指名

□各学校の校長は，特別支援教育のコーディネーター的な役割を担う教員を「特別支援教育コーディネーター」に指名し，校務分掌に明確に位置付けること。

□特別支援教育コーディネーターは，各学校における特別支援教育の推進のため，主に，校内委員会・校内研修の企画・運営，関係諸機関・学校との連絡・調整，保護者からの相談窓口などの役割を担うこと。

●関係機関との連携を図った「個別の教育支援計画」の策定と活用

□特別支援学校においては，長期的な視点に立ち，乳幼児期から学校卒業後まで一貫した教育的支援を行うため，医療，福祉，労働等の様々な側面からの取組を含めた「個別の教育支援計画」を活用した効果的な支援を進めること。

□また，小·中学校等においても，必要に応じて，「個別の教育支援計画」を策定するなど，関係機関と連携を図った効果的な支援を進めること。

●「個別の指導計画」の作成

□特別支援学校においては，幼児児童生徒の障害の重度・重複化，多様化等に対応した教育を一層進めるため，「個別の指導計画」を活用した一層の指導の充実を進めること。

□また，小・中学校等においても，必要に応じて，「個別の指導計画」を作成するなど，一人一人に応じた教育を進めること。

●特別支援学校のセンター的機能

□特別支援学校においては，これまで蓄積してきた専門的な知識や技能を生かし，地域における特別支援教育のセンターとしての機能の充実を図ること。

□特に，幼稚園，小学校，中学校，高等学校及び中等教育学校の要請に応じて，発達障害を含む障害のある幼児児童生徒のための個別の指導計画の作成や個別の教育支援計画の策定などへの援助を含め，その支援に努めること。

□特別支援学校において指名された特別支援教育コーディネーターは，関係機関や保護者，地域の幼稚園，小学校，中学校，高等学校，中等教育学校及び他の特別支援学校並びに保育所等との連絡調整を行うこと。

テーマ74 ● 時事事項

令和の特別支援教育

ここが出る! ▶▶

- **特別支援教育は2007年から始まっているが，この15年間で時代は変わっている。特別支援教育を取り巻く最新の状況を知ろう。**
- **特別支援教育の専門性は全ての教員に求められること，関係機関の連携による切れ目のない支援を行うことなどが挙げられている。**

2021年1月，中央教育審議会は「**令和の日本型学校教育の構築を目指して**」という答申を公表した。特別支援教育に関連する重要部分を読んでみよう。

1 基本的な考え方

□特別支援教育は，障害のある子供の**自立**や社会参加に向けた主体的な取組を支援するという視点に立ち，子供一人一人の**教育的ニーズ**を把握し，その持てる力を高め，生活や学習上の困難を改善または**克服**するため，適切な指導及び必要な支援を行うものである。

□また，特別支援教育は，**発達障害**のある子供も含めて，障害により特別な支援を必要とする子供が在籍する全ての学校において実施されるものである

□一方で，少子化により学齢期の児童生徒の数が減少する中，特別支援教育に関する理解や認識の高まり，障害のある子供の**就学先**決定の仕組みに関する制度の改正等により，通常の学級に在籍しながら**通級による指導**を受ける児童生徒が大きく増加しているなど，特別支援教育をめぐる状況が変化している。

□また，障害者の権利に関する条約に基づく**インクルーシブ教育**システムの理念を構築し，**特別支援教育**を進展させていくために，引き続き，障害のある子供と障害のない子供が可能な限り**共に教育を受けられる**条件整備，障害のある子供の自立と**社会参加**を見据え，一人一人の教育的ニーズに最も的確に応える指導を提供できるよう，通常の学級，通級による指導，**特別支援学級**，特別支援学校といった，連続性のある**多様**な学びの場の一層の充実・整備を着実に進めていく必要がある。

2 全ての教師に求められる特別支援教育に関する専門性

「社会モデル」は，最重要のキーワードである。

- □**全ての教師**には，障害の特性等に関する理解と指導方法を工夫できる力や，個別の**教育支援計画**・個別の指導計画などの特別支援教育に関する基礎的な知識，**合理的配慮**に対する理解等が必要。
- □障害者が日常生活又は社会生活において受ける制限は障害により起因するものだけでなく，社会における様々な**障壁**と相対することによって生ずるものという考え方，いわゆる「**社会モデル**」の考え方を踏まえる。
- □目の前の子供の障害の状態等により，障害による学習上又は生活上の困難さが異なることを理解し，**個**に応じた分かりやすい指導内容や指導方法の工夫を検討し，子供が**意欲的**に課題に取り組めるようにする。

3 その他

●**特別支援学校における教育環境の整備**

- □ICTを活用した職業教育に関する指導計画・指導法の開発。
- □特別支援学校の**センター的**機能の充実や設置者を超えた学校間連携を促進する体制の在り方の検討。
- □知的障害者である児童生徒が各教科等において育むべき資質・能力を児確実に身に付けさせる観点から，**著作教科書**(知的障害者用)を作成。
- □特別支援学校に在籍する児童生徒が，地域の学校に**副次的**な籍を置く取組の一層の普及推進。

●**関係機関との連携強化による切れ目ない支援の充実**

- □地域の就労関係機関との連携等による早期からの**キャリア教育**の充実。
- □特別支援教育を受けてきた子供の指導や**合理的配慮**の状況等の学校間での引き継ぎに当たり，**統合型校務支援**システムを活用。
- □個別の**教育支援計画**(教育)・利用計画(福祉サービス)・個別支援計画(事業所)・**移行支援**計画(労働)の一体的な情報提供・共有の仕組みの検討に向け，移行支援や**就労支援**における特別支援学校と関係機関との役割や連携の在り方などの検討。
- □学校における**医療的ケア**の実施体制の構築，医療的ケアを担う**看護師**の人材確保や配置等の環境整備。

テーマ 75

● 時事事項

障害のある子供の教育支援の手引

ここが出る! ▶▶

- **障害のある子どもの就学先の決定に際して，どのようなことに配慮すべきか。**
- **障害のある子どもの教育支援は，生涯にわたり多様な分野が連携して行う，タテ・ヨコの広がりを持っている。**

2021年6月，文部科学省は「**障害のある子供の教育支援の手引**」を公表した。テーマ6の内容も思い出そう。

1 就学に関する新しい支援の方向性

冒頭の箇所である。合理的配慮を提供しつつ，可能な限り**同じ場**で学ぶインクルーシブ教育を目指す。

●インクルーシブ教育システムの構築

□学校教育は，障害のある子供の自立と社会参加を目指した取組を含め，「**共生社会**」の形成に向けて，重要な役割を果たすことが求められている。そのためにも「共生社会」の形成に向けた**インクルーシブ**教育システム構築のための**特別支援教育**の推進が必要とされている。

□インクルーシブ教育システムの構築のためには，障害のある子供と障害のない子供が，可能な限り**同じ場**で共に学ぶ❶ことを目指すべきであり，その際には，それぞれの子供が，授業内容を理解し，学習活動に参加している実感・達成感をもちながら，充実した時間を過ごしつつ，**生きる力**を身に付けていけるかどうかという最も本質的な視点に立つことが重要である。

●環境整備

□そのための環境整備として，子供一人一人の**自立**と社会参加を見据えて，その時点での**教育的ニーズ**に最も的確に応える指導を提供できる，多様で柔軟な仕組みを整備することが重要である。

□このため，小中学校等における通常の学級，通級による指導，**特別支援学級**や，特別支援学校といった，連続性のある「**多様な学びの場**」を

❶特別支援学校と小・中・高校を一体化した共生教育推進学校の設置が検討されている。

用意していくことが必要である。

●教育的ニーズとは

□**教育的ニーズ**とは，子供一人一人の障害の状態や特性及び心身の発達の段階等を把握して，具体的にどのような特別な指導内容や教育上の**合理的配慮**を含む支援の内容が必要とされるかということを検討することで整理されるものである。

□そして，こうして把握・整理した，子供一人一人の**障害**の状態等や教育的ニーズ，本人及び保護者の意見，教育学，医学，**心理学**等専門的見地からの意見，学校や地域の状況等を踏まえた総合的な観点から，**就学先**の学校や学びの場を判断することが必要である。

2 一貫した教育支援の重要性

早いうちから一貫した支援を行う。

□障害のある子供が，地域社会の一員として，生涯にわたって様々な人々と関わり，主体的に**社会参加**しながら心豊かに生きていくことができるようにするためには，教育，医療，**福祉**，保健，労働等の各分野が一体となって，社会全体として，その子供の**自立**を生涯にわたって教育支援していく体制を整備することが必要である。

□このため，早期から始まっている**教育相談**・支援を就学期に円滑に引き継ぎ，障害のある子供一人一人の**精神的**及び身体的な能力等をその可能な最大限度まで発達させ，学校卒業後の地域社会に主体的に参加できるよう**移行支援**を充実させるなど，一貫した教育支援が強く求められる。

⏱□障害のある子供一人一人の**教育的ニーズ**を把握・整理し，適切な指導及び必要な支援を図る**特別支援教育**の理念を実現させていくためには，**早期**からの教育相談・支援，就学相談・支援，就学後の継続的な教育支援の全体を「一貫した教育支援」と捉え直し，**個別の教育支援計画**[❷]の作成・活用等の推進を通じて，子供一人一人の教育的ニーズに応じた教育支援の充実を図ることが，今後の特別支援教育の更なる推進に向けた基本的な考え方として重要である。

❷個別の教育支援計画の定義は，28ページを参照。

テーマ 76

● 時事事項

特別支援学校学習指導要領変遷史

ここが出る! ▶▶

- 盲・聾・養護学校(特別支援学校)学習指導要領の変遷史を知っておこう。各年の改訂内容を選ばせたり,時代順に並べさせたりする問題が頻出。対応できるようにしよう。
- 養護・訓練(自立活動)の内容の変遷も要注意。

1 盲・聾・養護学校学習指導要領の制定

障害児の教育(特殊教育)を行う各学校の学習指導要領が制定された年は,以下のようである。養護学校のほうが遅れている。

	小学部	中学部	高等部
盲・聾学校	1957(昭32)年	1957(昭32)年	1960(昭35)年
養護学校	1963(昭38)年	1964(昭39)年	1972(昭47)年

2 学習指導要領改訂の流れ

小・中・高等学校の学習指導要領と同様,おおよそ,10年おきに改訂されてきている。各年の主な改訂内容を押さえよう。

● 1971年・1972年改訂

□1971年に盲・聾・養護学校小・中学部学習指導要領が改訂され,1972年に養護学校高等部学習指導要領が制定された。

□児童生徒の障害の重複化・**多様化**に対応。

□教育課程の領域に,障害の状態に即した指導を行う**養護・訓練**を新設。

□**重度障害者**についての教育課程編成上の特例を定める。

□学習指導要領に,特殊教育を行う各学校の**教育目標**を初めて明示。

● 1979年改訂

□1979年の**養護学校**義務制実施に応じた改訂が行われる。

□学校種ごとの学習指導要領を,特殊教育諸学校共通の学習指導要領(**盲学校,聾学校及び養護学校**学習指導要領)にする。

□**交流教育**の促進。

□**訪問教育**における教育課程の位置づけを明確にする。

● 1989年改訂

□**幼稚部教育要領**を新たに制定。

□高等部の各教科に，家政，農業，工業を追加。

□精神薄弱養護学校小学部の各教科の内容を，発達段階に応じて 3 段階に区分。

□**養護・訓練**の内容区分を 4 つから 5 つにする。

●1999年改訂

□**生きる力**の育成を目指した改訂。

□養護・訓練を**自立活動**にする。自立活動では，**個別の指導計画**の作成が義務づけられる。

□知的障害養護学校の中学部・高等部の選択教科に**外国語**を，高等部の選択教科に情報および**流通・サービス**を新設。

□高等部の**訪問教育**について規定。

□幼稚部における，乳幼児(3 歳未満)を含む**教育相談**について規定。

●2007年一部改訂

□名称が，**特別支援学校学習指導要領**となる。

●2009年改訂

□障害の重度・**重複化**，多様化への対応

□自立活動の内容に，「**人間関係の形成**」が加えられる。

□一人一人に応じた指導の充実

□**自立**と社会参加に向けた**職業教育**の充実

・高等部(知的障害)の専門教科に「**福祉**」が新設される。

□**交流**及び共同学習の推進

3 養護・訓練および自立活動の内容区分の変遷

養護・訓練(1999年より自立活動)の内容区分の変遷を整理しよう。

1971年	①心身の**適応**，②**感覚機能**の向上，③運動機能の向上，④意思の伝達
1989年	①**身体**の健康，②心理的な**適応**，③環境の認知，④**運動・動作**，⑤意思の伝達
1999年	①**健康**の保持，②心理的な安定，③**環境**の把握，④身体の動き，⑤**コミュニケーション**
2009年	①**健康**の保持，②心理的な安定，③**人間関係**の形成，④**環境**の把握，⑤身体の動き，⑥**コミュニケーション**

テーマ 77 ● 時事事項

特別支援教育におけるキャリア教育

ここが出る! ▶▶

- **社会への移行に必要な力を掲げた図が頻出。基礎的・汎用的能力の部分が空欄にされることが多い。**
- **2011年のキャリア教育の答申，知的障害児のキャリアプランニング・マトリックスも比較的よく出る。**

1 特別支援学校におけるキャリア教育

2021年1月の中央教育審議会答申「令和の日本型学校教育の構築を目指して」で言われていることである。

●総論

□特別支援学校におけるキャリア教育では，学校で学ぶことと社会との**接続**を意識させ，一人一人の社会的・**職業的自立**に向けて必要な基盤となる資質・能力を育み，**キャリア発達**を促すことが重要である。

□そのため，**早期**からのキャリア教育では，保護者や身近な教師以外の大人との**コミュニケーション**の機会や，**自己肯定感**を高める経験，産業構造や進路を巡る環境の変化等の現代社会に即した情報等について理解を促すような活動が自己のキャリア発達を促す上で重要であることから，その実施に当たっては，地域の**就労関係**機関との連携等による機会の確保の充実が必要である。

●基礎的・汎用的能力

□キャリア教育で育む基礎的・汎用的能力は，①**人間関係形成**・社会形成能力，②自己理解・**自己管理**能力，③**課題対応**能力，④**キャリアプランニング**能力，の4つからなる。

2 キャリア・パスポート

文部科学省「『キャリア・パスポート』の様式例と指導上の留意事項」(2019年)を読んでみよう。

□**キャリア・パスポート**とは，児童生徒が，小学校から高等学校までのキャリア教育に関わる諸活動について，**特別活動**の学級活動及びホームルーム活動を中心として，各教科等と往還し，自らの学習状況や**キャリア形成**を見通したり振り返ったりしながら，自身の**変容**や成長を自己評価できるよう工夫された**ポートフォリオ**のことである。

□障害のある児童生徒の将来の進路については，幅の広い選択の可能性があることから，指導者が**障害者雇用**を含めた障害のある人の就労について理解するとともに，必要に応じて，労働部局や**福祉部局**と連携して取り組むこと。

□特別支援学校においては，**個別の教育支援計画**や個別の指導計画等により「キャリア・パスポート」の目的に迫ることができると考えられる場合は，児童生徒の障害の状態や特性及び心身の発達の段階等に応じた取組や適切な内容とすること。

3 知的障害児のキャリアプランニング・マトリックス

国立特別支援教育総合研究所による試案である。3段階と4つの能力領域をクロスさせている。

● 3段階

□小学部は，未分化であるが，職業及び**家庭・地域生活**に関する基礎的能力の習得と意欲を育て，後の**柔軟性**に必要な統合する能力習得の始まりの時期である。

□中学部は，**職場**(働くこと)や生活の場において，変化に対応する力として**般化**できるようにしていく時期である

□高等部は，実際に**企業**等で働くことを前提にした継続的な**職業体験**を通して，職業関連知識・技術を得るとともに，**職業選択**，及び移行準備の時期である。

● 4つの能力領域

□【　**人間関係形成能力**　】…他者の個性を尊重し，自己の個性を発揮しながら様々な人々とコミュニケーションを図り，協力・共同してものごとに取り組む。

□【　**情報活用能力**　】…学ぶこと・働くことの意義や役割及びその多様性を理解し，幅広く情報を活用して，自己の進路や生き方の選択に生かす。

□【　**将来設計能力**　】…夢や希望を持って将来の生き方や生活を考え，社会の現実を踏まえながら，前向きに自己の将来を設計する。

□【　**意志決定能力**　】…自らの意志と責任でよりよい選択，決定を行うとともに，その過程での課題や葛藤に積極的に取り組み克服する。

テーマ 78 ● 時事事項

ICTの活用

頻出度 C

ここが出る! ▶▶

- **障害のある子どもの学習をサポートする情報機器について知っておこう。総称は，アシスティブ・テクノロジーだ。**
- **特別な配慮を要する子どもの教育に際しては，デジタル教科書を教育課程の全部において使用できる。**

1 総論

ICTは，特別支援教育の現場で効果を発揮する。

● ICTの活用

□ICTの活用は，**特別支援学校**，特別支援学級，**通級による指導**，通常の学級のあらゆる場面で行われ，具体的には，**デジタル教科書**などを活用して授業内容の理解全般を助ける。

□障害種別にみると…

視覚障害	文字の拡大や音声読み上げ。
聴覚障害	音声を文字化するソフトや筆談アプリ等のコミュニケーションツール。
知的障害	動画やアニメーション機能を活用した学習内容を具体的にイメージする情報提示。
肢体不自由	視線入力装置による表現活動の広がりやコミュニケーションの代替、病弱では、病室と教室を結ぶ遠隔教育のシステム。
発達障害	書字や読字が難しい人にとってのコンピュータを用いた出入力や音声読み上げなどで情報の獲得が容易になる。

● 用語

□【 アシスティブ・テクノロジー 】…障害による物理的な操作上の困難や障壁(バリア)を，機器を工夫することによって支援しようという考え方。

□【 VOCA 】…発声が難しい人の会話を補助する機器。「Voice Output Communication Aids」の略で，**携帯型会話補助装置**という。

□【　AAC　】…残された能力とテクノロジーの力で自分の意志を相手に伝える技法。「Augmentative and Alternative Communication」の略で，**拡大代替コミュニケーション**という。

2 特別支援教育におけるICTの活用

文部科学省「特別支援教育におけるICTの活用について」（2020年）を参照。ICT活用の視点と，障害種ごとの留意点が重要だ。

●ICT活用の視点

□教科指導の効果を高めたり，**情報活用能力**の育成を図ったりするために，ICTを活用する視点。

□障害による学習上又は生活上の困難さを**改善・克服**するために，ICTを活用する視点。

●視覚障害者

□視覚補助具やコンピュータ等の情報機器，**触覚教材**，**拡大教材**及び音声教材等各種教材の効果的な活用を通して，児童生徒が容易に情報を収集・整理し，**主体的**な学習ができるようにするなど，児童生徒の視覚障害の状態等を考慮した指導方法を工夫すること。

●聴覚障害者

□**視覚的**に情報を獲得しやすい教材・教具やその活用方法等を工夫するとともに，コンピュータ等の情報機器などを有効に活用し，指導の効果を高めるようにすること。

●肢体不自由者

□児童生徒の身体の動きや**意思**の表出の状態等に応じて，適切な補助具や**補助的手段**を工夫するとともに，コンピュータ等の**情報機器**などを有効に活用し，指導の効果を高めるようにすること。

3 デジタル教科書

文部科学省「学習者用デジタル教科書の効果的な活用の在り方等に関するガイドライン」（2019年３月）を参照。

□特別な配慮を必要とする児童生徒等については，**文字**の拡大や**音声**読み上げ等の機能により，教科書の内容へのアクセスが容易となり，効果的に学習を行うことができる場合には，**教育課程の全部**においても，紙の教科書に代えて**学習者用デジタル**教科書を使用できる。

テーマ

79 障害者のスポーツ

● 時事事項

ここが出る! ▶▶

- **障害者が参加するスポーツ競技会として，どのようなものがあるか。概要文を提示し，名称を答えさせる問題が出る。**
- **聞き慣れない独自の種目もある。ボッチャ，ゴールボールなどのルールの概要を知っておこう。**

1 障害者のスポーツ競技会

●国内大会

□【 全国障害者スポーツ大会 】…国民体育大会終了後，同じ開催地で実施。障害者の社会参加の促進，国民の障害者に対する理解を深めることを目指す。

□【 アビリンピック 】…障害者技能競技大会の愛称。

●国際大会

□【 パラリンピック 】…４年に１度，オリンピック終了後に同じ開催地で実施される。夏季大会と冬季大会に分かれる。

□【 デフリンピック 】…４年に１回開催される，聴覚障害者の世界規模の総合スポーツ競技会。全てのコミュニケーションが国際手話で行われる。

□【 スペシャルオリンピックス 】…４年に１回開催される，知的障害者の世界規模の総合スポーツ競技会。参加者全員が表彰される。

2 パラリンピック

日本パラリンピック委員会のホームページを参照。

●歴史

□パラリンピックの原点は，1948年，ルードウィッヒ・グットマンの提唱で，ロンドンの病院で開かれたアーチェリーの競技会である。

□1989年，**国際パラリンピック委員会**(IPC)が設立。

□日本では，夏季大会が1964年に**東京**，冬季大会が1998年に**長野**で開催されている。

●種目

夏季大会は，**22種目**の競技が実施される。★は解説も記載。

□**アーチェリー**，陸上競技，バトミントン，ボッチャ（★），**カヌー**，自転車，馬術，ブラインドフットボール，**ゴールボール**（★），柔道，パワーリフティング，ローイング，射撃，**シッティングバレーボール**，水泳，卓球，**テコンドー**，トライアスロン，車いすバスケットボール，車いすフェンシング，車いすラグビー，**車いすテニス**。

□【 **ボッチャ** 】…「ジャックボール」と呼ばれる白いボールを投げ，赤・青のそれぞれ6球ずつのボールを投げたり，転がしたり，他のボールに当てたりして，いかに「ジャックボール」に近づけることができたかを競う競技。対象は，**重度脳性まひ**や同程度の四肢重度機能障がいのある人。

□【 **ゴールボール** 】…1チーム3名で，攻撃側は鈴の入ったボールを相手ゴールに向かって投球し，守備側は全身を使ってボールをセービングする。ボールから鳴る鈴の音や相手選手の足音，動く際に生じる床のわずかな振動などを頼りに，攻撃と守備を入れ替えて得点を競う。対象は，**視覚障害者**。

3 全国障害者スポーツ大会

国内の総合競技会である。以下のような独自の種目が実施される。公益財団法人・日本パラスポーツ協会のホームページを参照。

□【 **スラローム** 】…全長30mの直走路に置かれた赤白の旗門を前進，後進等しながら通過し，そのタイムを競い合う競技。

□【 **ビーンバッグ投** 】…重度の障害がある車いす使用者を対象とした投てき種目。大豆等を入れた袋を投げる。

□【 **フライングディスク** 】…5mまたは7m離れたアキュラシーゴールにディスクを10回投げてその通過数を競う（アキュラシー競技）。ディスクを3回投げて遠投距離を競う（ディスタンス競技）。

□【 **グランドソフトボール** 】…視覚障害者を対象に開発された球技。ボールはハンドボールを使用。ピッチャーは全盲選手が担当し、キャッチャーの手ばたき音を頼りにボールを転がして投球する。バッターは，転がってくるボールの音を頼りに打撃を行う

□【 **フットソフトボール** 】…知的障害者を対象に開発された野球。ボールはゴム製のサッカーボールを使用。ピッチャーはボールを転がし投げ、打者はそのボールをけって進塁を試みる。

テーマ 80

● 時事事項

特別支援教育の統計

ここが出る! ▶▶

- 特別支援学校高等部卒業生の進路統計は頻出。分布を提示して，どの障害種のものかを答えさせる問題が多い。
- 最新の障害者の雇用統計を見ておこう。増加率が高い障害種，法定雇用率を達成している業界などについて問われる。

1 特別支援学校高等部卒業生の進路

文部科学省『学校基本調査』（2023年度）による。

● 高等部卒業者の進路内訳

□知的障害者は人数が多く，聴覚障害者は就職者の率が高い。

			視覚障害	聴覚障害	知的障害	肢体不自由	病弱・身体虚弱
計			242	410	18471	1559	341
大学等進学者(A)			74	149	80	34	23
専修学校(専門課程)進学者(B)			2	27	26	5	21
専修学校(一般課程)等入学者(C)			0	6	19	3	4
公共職業能力開発施設等入学者(D)			3	10	212	12	2
就職者等(E)	自営業主等(a)		4	1	15	0	0
	常用労働者	無期雇用労働者(b)	19	114	2406	29	31
		有期雇用労働者	6	20	3437	42	15
	臨時労働者		1	0	23	0	2
上記以外の者			133	83	12250	1432	243
不詳・死亡の者			0	0	3	2	0

● 産業別就職者数

□2023年春の就職者でみると，①製造業，②卸売業・小売業，③医療・福祉，の順に多い。

2 障害者雇用

厚生労働省「障害者雇用状況」（2023年）の概要である。障害者の雇用は増えている。

●民間企業における雇用状況

⏱□民間企業（2023年度の法定雇用率**2.3%**）に雇用されている障害者の数は642,178.0人で，**20**年連続で過去最高となった。

□雇用者のうち，**身体障害者**は360,157.5人（対前年比0.7%減），**知的障害者**は151,722.5人（同3.6%増），**精神障害者**は130,298.0人（同18.7%増）と，特に精神障害者の伸び率が大きかった。

□実雇用率は，12年連続で過去最高の**2.33%**，法定雇用率達成企業の割合は50.1%であった。

⏱□産業別の実雇用率では，「**医療，福祉**」（3.09%），「**生活関連サービス業，娯楽業**」（2.46%），「電気・ガス・熱供給・水道業」（2.41%），「運輸業，郵便業」（2.39%）などが法定雇用率を上回っている。

●公的機関における雇用状況

□実雇用率は国が2.92%，都道府県が2.96%，市町村が2.63%，教育委員会が2.34%である。**国と都道府県**と市町村が，法定雇用率を上回っている。

●実雇用率と雇用されている障害者の数の推移

□**精神障害者**の伸びが大きいことに注目である。

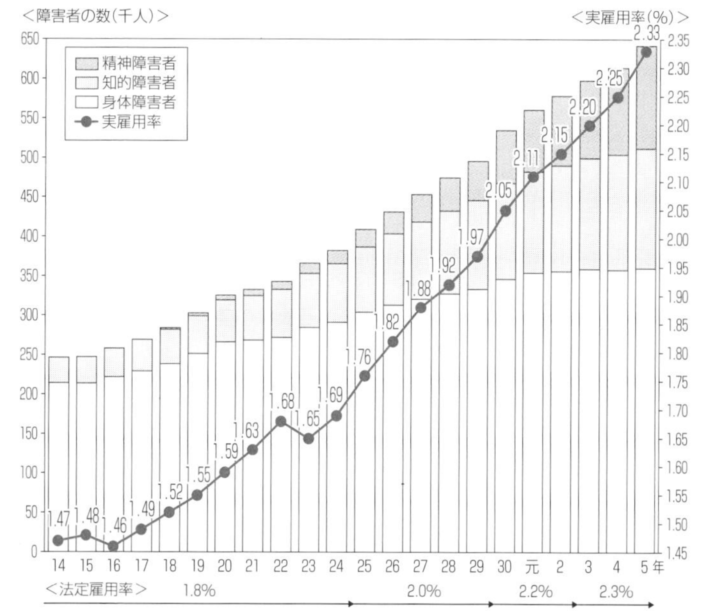

時事事項　試験直前ファイナルチェック

問題	●Answer●
□1　2001年にWHOで採択されたICFは，国際生活機能分類と訳される。　→P.172	1　○
□2　2006年12月の国連総会で，障害者の権利に関する条約が採択された。　→P.174	2　○
□3　2010年6月に，障害を理由とする差別の解消の推進に関する法律が施行された。　→P.178	3　× 2016年4月である。
□4　2013年4月に，障害者自立支援法が障害者総合支援法に変わった。　→P.182	4　○
□5　精神障害者保健福祉手帳では，1級から5級の等級が定められている。　→P.187	5　× 1級から3級である。
□6　発達障害者の支援は，社会的障壁の除去に資することを旨として，行われなければならない。　→P.189	6　○
□7　事業主に達成が義務づけられている障害者雇用率（2024年度以降）は，民間企業の場合，2.0％である。　→P.190	7　× 2.0％ではなく，2.5％である。
□8　合理的配慮は，教育内容・方法，支援体制の2つの観点からなる。　→P.195	8　× 施設・設備も加えた3つの観点からなる。
□9　校長は特別支援教育コーディネーターを指名し，校務分掌に位置付ける。→P.199	9　○
□10　養護学校の義務制が実施されたのは，1979年である。　→P.204	10　○
□11　1989年の盲学校・聾学校・養護学校学習指導要領改訂により，それまでの「養護・訓練」が「自立活動」となった。　→P.205	11　× 1999年の学習指導要領改訂時である。
□12　拡大代替コミュニケーションの略称はVOCAである。　→P.208	12　× AACである。
□13　近年，障害者の実雇用率は低下の傾向にある。　→P.213	13　× 上昇の傾向にある。

実力確認問題

1 特別支援教育に関する以下の設問に答えよ。 →テーマ 1

(1)以下の文章は，特別支援教育に関する公的な概念規定である。空欄に適語を入れよ。

> 特別支援教育は，障害のある幼児児童生徒の自立や（ ① ）に向けた主体的な取組を支援するという視点に立ち，幼児児童生徒一人一人の（ ② ）を把握し，その持てる力を高め，生活や学習上の困難を改善又は（ ③ ）するため，適切な指導及び必要な（ ④ ）を行うものである。

(2)特別支援学校は，以前は 3 つの学校種に分かれていた。そのうちの一つは聾学校である。残りの 2 つを答えよ。

2 特別支援学校に関する以下の問いに答えよ。 →テーマ 2

(1)以下の文章は，特別支援学校の目標について定めた学校教育法の条文の抜粋である。空欄に適語を入れよ。

> 特別支援学校は，（ ① ），聴覚障害者，知的障害者，（ ② ）又は病弱者（身体虚弱者を含む。）に対して，（ ③ ），小学校，中学校又は高等学校に準ずる教育を施すとともに，障害による学習上又は生活上の困難を克服し（ ④ ）を図るために必要な知識技能を授けることを目的とする。

(2)特別支援学校の設置義務を課されている主体を答えよ。

(3)特別支援学校に期待される機能の一つとして，「幼稚園，小学校，中学校，高等学校及び中等教育学校の要請に応じて，発達障害を含む障害のある幼児児童生徒のための個別の指導計画の作成や個別の教育支援計画の策定などへの援助を含め，その支援に努めること」というものがある（2007年 4 月，文部科学省通知）。このような機能は，「地域における特別支援教育の（ a ）としての機能」と表現される。空欄 a に当てはまる語句を片仮名で答えよ。

解答

1 (1)①社会参加 ②教育的ニーズ ③克服 ④支援 (2)養護学校，盲学校

2 (1)①視覚障害者 ②肢体不自由者 ③幼稚園 ④自立 (2)都道府県 (3)センター

3 特別支援教育の条件整備に関する以下の設問に答えよ。　→テーマ4

(1)以下の記述のうち，誤っているものはどれか。全て選び，記号で答えよ。

①特別支援学校では，文部科学大臣の検定を経た教科用図書又は文部科学省が著作の名義を有する教科用図書を必ず使用しなければならない。

②文部科学省が作成している教科書の一つに，視覚障害者用の点字教科書がある。

③文部科学省が作成している教科書の一つに，知的障害者用の生活の教科書がある。

④小学校や中学校と同じく，特別支援学校についても，公的な設置基準が作成されている。

⑤特別支援学級の1学級の児童生徒数は，10人以下を標準とする。

(2)以下の文章は，ある省令の条文の抜粋である。この省令の名称を答えよ。

> 特別の教育課程による場合において，文部科学大臣の検定を経た教科用図書又は文部科学省が著作の名義を有する教科用図書を使用することが適当でないときは，当該学校の設置者の定めるところにより，他の適切な教科用図書を使用することができる。

(3)以下の表は，特別支援学校における1学級当たりの児童生徒数の標準をまとめたものである。(標準法による)。空欄に当てはまる数字を答えよ。

	原則	重複障害者で学級を編制する場合
小・中学部	(　①　)人	(　②　)人
高等部	(　③　)人	(　④　)人

(4)小・中学校等におかれる特別支援学級の1学級当たりの児童生徒数の基準は，標準法では何人と定められているか。

解答

3 (1)①，③，⑤　(2)学校教育法施行規則　(3)①6　②3　③8　④3　(4)8人

4 特別支援学校への就学に関する以下の設問に答えよ。→テーマ5,6

(1)特別支援学校の対象となる障害の程度を定めている政令の名称を答えよ。

(2)以下の文章は，上記の法令が定めている，特別支援学校の対象となる視覚障害，聴覚障害，および肢体不自由の程度を示したものである。空欄に適語や数字を入れよ。

〈視覚障害〉 両眼の視力がおおむね（　①　）未満のもの又は視力以外の視機能障害が高度のもののうち，（　②　）等の使用によっても通常の文字，図形等の視覚による認識が不可能又は著しく困難な程度のもの
〈聴覚障害〉 両耳の聴力レベルがおおむね（　③　）デシベル以上のもののうち，（　④　）等の使用によっても通常の話声を解することが不可能又は著しく困難な程度のもの
〈肢体不自由〉 ・肢体不自由の状態が（　⑤　）の使用によっても歩行，筆記等日常生活における基本的な動作が不可能又は困難な程度のもの ・肢体不自由の状態が前号に掲げる程度に達しないもののうち，常時の（　⑥　）を必要とする程度のもの

(3)以下の文章は，就学の障害のある児童生徒の就学の手続きについて定めた法規定の抜粋である。空欄に適語を入れよ。

（　①　）の教育委員会は，認定特別支援学校就学者について，都道府県の教育委員会に対し，翌学年の初めから3月前までに，その氏名及び（　②　）に就学させるべき旨を通知しなければならない。

(4)下線部の「認定特別支援学校就学者」とは何か。説明せよ。

解答

4 (1)学校教育法施行令　(2)①0.3　②拡大鏡　③60　④補聴器　⑤補装具　⑥医学的観察指導　(3)①市町村　②特別支援学校　(4)特別支援学校への就学基準に該当する者のうち，その者の障害の状態に照らして，特別支援学校に就学させることが適当であると認められる者。

5 **特別支援教育の教育課程に関する以下の記述のうち，誤っているものはどれか。すべて選び，記号で答えよ。** **→テーマ７，８**

①知的障害者である児童生徒に対する教育を行う特別支援学校小学部においては，教育課程に特別活動はない。

②知的障害者である児童生徒に対する教育を行う特別支援学校小学部の教育課程でいう「各教科」とは，生活，国語，算数，音楽，図画工作，および体育の６教科である。

③知的障害者である児童生徒に対する教育を行う特別支援学校中学部の外国語は，学校や生徒の実態を考慮して，必要に応じて設けることとされる。

④視覚障害者，聴覚障害者，肢体不自由者又は病弱者である児童生徒に対する教育を行う特別支援学校高等部の専門教科のうち，視覚障害者を対象としたものとして，保健理療がある。

⑤通常学校の特別支援学級在籍者については，個別の指導計画の作成・活用に努めることとされる。

6 **障害児教育の歴史に関する以下の設問に答えよ。** **→テーマ９，10**

⑴京都に盲唖院が設置され，わが国で盲・聾教育が始まった年を西暦で答えよ。

⑵わが国の知的障害児教育の先駆となった滝乃川学園を創設した人物の名前を答えよ。

⑶肢体不自由児を対象としたわが国初の教育施設の名称を答えよ。

⑷養護学校の義務制が実施された年を西暦で答えよ。

⑸以下の各人物に該当する業績をＡ～Ｄから選べ。

〈人物〉	〈業績〉
①ルイ・ブライユ	Ａ：LD（学習障害）という語を創案
②ド・レペ	Ｂ：６点式点字を考案
③カーク	Ｃ：手話による聾唖教育提唱
④クルツ	Ｄ：世界初の肢体不自由児学校を設立

解答

5 ①，⑤（⇒特別支援学級の場合，作成は義務である） **6** ⑴1878年 ⑵石井亮一 ⑶柏学園 ⑷1979年 ⑸①－Ｂ ②－Ｃ ③－Ａ ④－Ｄ

7 **以下の文章は，特別支援学校において，各教科等の指導計画を作成するに当たっての配慮事項である。視覚障害者に関するものにはA，聴覚障害者に関するものにはB，肢体不自由者に関するものにはC，病弱者に関するものにはD，の記号をつけよ。** →テーマ20

①児童の学習時の姿勢や認知の特性等に応じて，指導方法を工夫すること。

②児童の言語発達の程度に応じて，主体的に読書に親しんだり，書いて表現したりする態度を養うように工夫すること。

③視覚的に情報を獲得しやすい教材・教具やその活用方法等を工夫するとともに，コンピュータ等の情報機器などを有効に活用し，指導の効果を高めるようにすること。

④健康状態の維持や管理，改善に関する内容の指導に当たっては，自立活動における指導との密接な関連を保ち，学習効果を一層高めるようにすること。

⑤児童の身体の動きや意思の表出の状態等に応じて，適切な補助用具や補助的手段を工夫するとともに，コンピュータ等の情報機器などを有効に活用し，指導の効果を高めるようにすること。

⑥児童が場の状況や活動の過程等を的確に把握できるよう配慮することで，空間や時間の概念を養い，見通しをもって意欲的な学習活動を展開できるようにすること。

⑦児童の身体の動きの状態や認知の特性，各教科の内容の習得状況等を考慮して，指導内容を適切に設定し，重点を置く事項に時間を多く配当するなど計画的に指導すること。

⑧体験的な活動を伴う内容の指導に当たっては，児童の病気の状態や学習環境に応じて，間接体験や疑似体験，仮想体験等を取り入れるなど，指導方法を工夫し，効果的な学習活動が展開できるようにすること。

⑨児童が聴覚，触覚及び保有する視覚などを十分に活用して，具体的な事物・事象や動作と言葉とを結び付けて，的確な概念の形成を図り，言葉を正しく理解し活用できるようにすること。

解答

7 ①C　②B　③B　④D　⑤C　⑥A　⑦C　⑧D　⑨A

8 自立活動に関する以下の設問に答えよ。 →テーマ25，26，76

(1)以下の文章は，特別支援学校小学部・中学部の自立活動の目標の抜粋である。空欄に適語を入れよ。

> 個々の児童又は生徒が自立を目指し，障害による学習上又は生活上の困難を主体的に改善・（ ① ）するために必要な知識，技能，態度及び（ ② ）を養い，もって心身の（ ③ ）の基盤を培う。

(2)下線部の「自立」の意味するところについて，特別支援学校の学習指導要領解説では，どのように説明されているか。

(3)現行の特別支援学校学習指導要領では，自立活動の内容項目として，「健康の保持」と「コミュニケーション」というものが設けられている。残りの4つを答えよ。

(4)2009年3月の特別支援学校学習指導要領改訂により新設された，自立活動の内容項目の名称を答えよ。

(5)以下の文章は，自立活動の指導計画作成に当たっての配慮事項を示したものである。このうち，誤っているものはどれか。一つ選び，番号で答えよ。

①児童又は生徒の学習の状況や結果を適切に評価し，個別の指導計画や具体的な指導の改善に生かすよう努めること。

②個々の児童又は生徒が，発達の遅れている側面を補うために，発達の進んでいる側面を更に伸ばすような指導内容も取り上げること。

③児童又は生徒が興味をもって主体的に取り組み，成就感を味わうとともに自己を肯定的にとらえることができるような指導内容を取り上げること。

④実態把握に基づき，もっぱら長期的な観点から指導の目標を設定し，それらを達成するために必要な指導内容を段階的に取り上げること。

解答

8 (1)①克服 ②習慣 ③調和的発達 (2)児童生徒がそれぞれの障害の状態や発達の段階等に応じて，主体的に自己の力を可能な限り発揮し，よりよく生きていこうとすること。(3)心理的な安定，人間関係の形成，環境の把握，身体の動き (4)人間関係の形成 (5)④（⇒短期的な観点からの目標設定も必要である）

9 小・中学校等に置かれる特別支援学級に関する以下の記述のうち，誤っているものはどれか。一つ選び，番号で答えよ。

→テーマ3，4，5

①小·中学校等の特別支援学級在籍者を障害の種別にみると，自閉症·情緒障害者が最も多い。

②特別支援学級では，特に必要がある場合，特別の教育課程によることができる。その場合，特別支援学校小・中学部の学習指導要領を参考とし，実情に合った教育課程を編成する。

③特別支援学級においては，文部科学大臣の検定を経た教科用図書を使用することが適当でない場合には，文部科学大臣の定めるところにより，他の適切な教科用図書を使用することができる。

④学校教育法第81条第2項の規定によると，特別支援学級の対象には，LDやADHDのような発達障害を抱える児童生徒も含まれる。

⑤特別支援学級の対象となる弱視者の障害の程度は，「拡大鏡等の使用によっても通常の文字，図形等の視覚による認識が困難な程度のもの」である。

10 「通級による指導」に関する以下の設問に答えよ。 →テーマ3

(1)通級による指導とは何か。説明せよ。

(2)通級による指導の対象となる障害種について定めた法令の名称を答えよ。

(3)以下のうち，通級による指導の対象となる障害種でないものはどれか。番号で答えよ。

①難聴者　②学習障害者　③弱視者　④言語障害者
⑤注意欠陥多動性障害者　⑥知的障害者

(4)以下の文章の空欄に適語を入れよ。

2016年12月の法改正により，（　①　）と（　②　）後期課程において，通級による指導が実施できるようになった。

解答

9 ④（→LDやADHDは，通級による指導の対象である） **10** (1)通常の学級に在籍している，障害のある児童生徒が，ほとんどの授業を通常の学級で受けながら，障害の状態に応じた特別の指導を特別の場で受けること (2)学校教育法施行規則 (3)⑥ (4)①高等学校 ②中等教育学校

11 視覚障害に関する以下の設問に答えよ。 →テーマ28，32

⑴下の図は，眼球と視路の水平断面図である。a～fの部位の名称を答えよ。

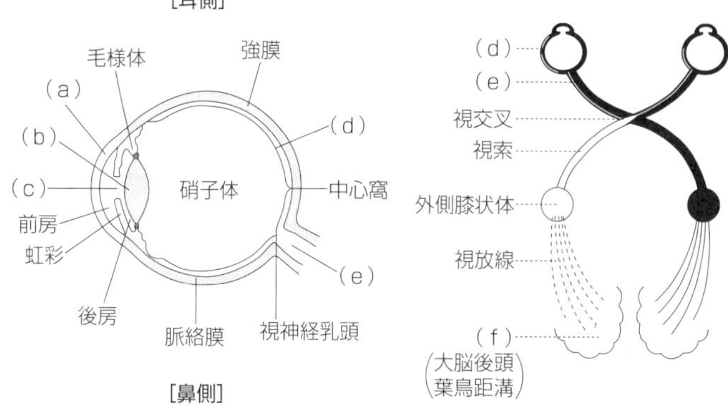

⑵以下の文章は，視覚障害の主な原因となる症状について述べたものである。それぞれの名称を答えよ。

ア）ブドウ膜と網膜の色素が欠乏し，光をまぶしく感じること。

イ）神経網膜が剥がれることにより，視力や視野が低下すること。

ウ）眼房水の排出がうまくいかず，眼圧が高くなること。

エ）先天的原因により，眼球が異常に小さいこと。

オ）水晶体に濁りがあり，視力障害が起こること。

⑶以下の教材・教具のうち，主として盲児用のものにはA，主として弱視児用のものにはBの記号をつけよ。

①表面作図器　②拡大読書器　③オプタコン　④斜面机

⑤点字エディタ・プリンタ　⑥書見台　⑦感光器

⑷ 5 mの距離を開けて，切れ目の幅を正答できた場合，視力が1.0と判断される，ランドルト環の外径と切れ目の幅を答えよ。単位はmmとする。

解答

11 ⑴a　角膜　b　水晶体　c　瞳孔　d　網膜　e　視神経　f　視中枢　⑵ア：白子眼　イ：網膜剥離　ウ：緑内障　エ：小眼球　オ：白内障　⑶①A　②B　③A　④B　⑤A　⑥B　⑦A　⑷外径＝7.5mm，切れ目の幅＝1.5mm

12 聴覚障害に関する以下の設問に答えよ。　→テーマ33，56

(1)以下のオージオグラムから読み取れることについて述べた文章のうち，誤っているものはどれか。①～④の中から一つ選べ。平均聴力の算出法は，4分法によるものとする。

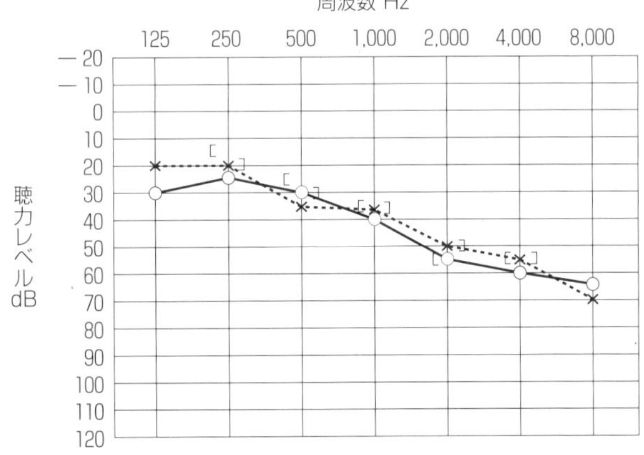

①右耳の平均気導聴力は41.25dBである。

②左耳の平均気導聴力は38.75dBである。

③伝音性の難聴がうかがわれる。

④感音性の難聴がうかがわれる。

(2)幼児聴力検査に関する以下の記述のうち，ABRについて述べたものはどれか。

ア）楽しい音源の方向に振りむくかどうかを観察する。

イ）乳幼児に振音，社会音などを聞かせ，反応を観察する。

ウ）音を聞いて生じる脳波の変化を観察する。睡眠状態で実施する。

解答

12 (1)③（⇒伝音性の難聴の場合，低音部の聴力が悪いはずである。なお，このオージオグラムから左耳の気導聴力を求めると，｛35dB＋(35dB×2)＋50dB｝÷4＝38.75dBとなる。）(2)ウ（⇒ABRとは，聴性脳幹反応検査のことである。）

13 知的障害に関する以下の設問に答えよ。 →テーマ37

(1)『特別支援学校学習指導要領解説・各教科編（小・中学部)』は，知的障害を以下のように定義している。

> 知的機能の発達に明らかな遅れと，適応行動の困難性を伴う状態が，発達期に起こるもの。

①「発達期」とは，一般に何歳以下とされるか。

②「知的機能」とはどのような機能か。簡潔に述べよ。

③適応行動は，日常生活において機能するために人々が学習した，3つのスキルの集合とされる。うち1つは，実用的スキルである。残りの2つを答えよ。

(2)以下の①と②は，知的障害の病理的原因について述べたものである。それぞれの名称を答えよ。

①21番染色体の過剰によって起きる成長や発達の障害。知的発達の遅れや，心疾患などの合併症を伴う。

②甲状腺ホルモンの分泌が不十分になること。皮膚の乾燥，発汗減少に加えて，知的障害が生じることもある。

14 知的障害児に対する指導に関する以下の記述のうち，誤っているものはどれか。1つ選び，記号で答えよ。 テーマ21，22，38，39

①知的障害のある児童生徒の学習上の特性として，成功経験が少ないことなどにより，主体的に活動に取り組む意欲が十分に育っていないことが挙げられる。

②知的障害児の教育を行う特別支援学校の各教科の内容は，小学部の場合，2段階で示されている。

③知的障害者の教育を行う特別支援学校で行われる，各教科等を合わせた指導の中に，「日常生活の指導」というものがある。

④知的障害児への特別な指導内容の一つに，自己の理解と行動の調整に関することがある。

解答

13 (1)①18歳以下　②認知や言語にかかわる機能　③概念的スキル，社会的スキル　(2)①ダウン症　②クレチン病　**14** ②（⇒2段階ではなく，3段階である）

15 **肢体不自由に関する以下の設問に答えよ。**　→テーマ40

(1)肢体不自由の原因の大半は，脳性まひである。脳性まひの定義としては，1968年の厚生省のものが使われることが多い。以下はその抜粋である。空欄に適語を入れよ。

受胎から（　①　）までの間に生じた，脳の（　②　）に基づく，永続的な，しかし変化しうる運動および姿勢の異常である。

(2)脳性まひは，いくつかの病型に分けられる。以下の記述のうち，アテトーゼ型について述べたものはどれか。番号で答えよ。

①伸張反射の亢進によって，四肢の伸展や屈曲が困難になる状態。

②身体の平衡機能の障害により，座位や立位のバランスが悪くなっている状態。

③上肢や下肢を屈曲する場合，抵抗感がある状態。

④頸部と上肢に不随意運動がよく見られ，下肢にもそれが現れる状態。

16 **以下の記述は，病弱児の主な疾病の概要を記したものである。それぞれの名称を下の語群から選び，記号で答えよ。**　→テーマ43

①腎臓病の一種。大量の蛋白尿により血清蛋白が減少（低蛋白血症）し，高度のむくみを主症状とする。

②胎児の脊椎骨の形成が阻害され，脊髄がはみ出して腰部の瘤となって現れるもの。

③大腿骨頭が部分的に壊死して，つぶれた状態になり，股関節の疼痛と足をひきずるような歩行を伴うもの。

④発作的に脳の神経細胞に異常な電気的興奮が起こり，その結果，意識，運動，感覚などの突発的な異常をきたす病気。

⑤インスリンの欠損または不足のため，ブドウ糖をカロリーとして細胞内に取り込むことのできない代謝異常。

ア：糖尿病　イ：てんかん　ウ：二分脊椎症　エ：ペルテス病
オ：ネフローゼ症候群　カ：血友病

解答

15 (1)①新生児　②非進行性病変（⇒進行性のものは除かれるという）　(2)④　**16** ①オ　②ウ　③エ　④イ　⑤ア

17 **言語障害に関する以下の記述のうち，誤っているものはどれか。1つ選び，記号で答えよ。** →テーマ3，46

①構音障害とは，肺でつくられた呼気を音源に変換する発声器官（喉頭）の障害のため，発せられる言語音に異常があることをいう。

②吃音の下位分類として，「ぼおーーーくは…」というように，最初の音を長く引き伸ばす伸発性吃音というものがある。

③小・中学校等における通級による指導の対象者のうち，言語障害者は約25%と最も多くを占めている（2021年度の統計）。

④構音障害を抱えている児童生徒の構音の誤りのタイプとして，「はなび（hanabi）」を「あなび（anabi）」と発音するように，必要な音を省いてしまう「省略」というものがある。

18 **言語検査に関する以下の設問に答えよ。** →テーマ57

⑴イリノイ大学のカークが考案したもので，コミュニケーションに必要な心理的機能を測る検査の略称をアルファベット4文字で答えよ。

⑵以下の記述は，主な言語検査について記したものである。それぞれの名称を下の語群から選び，記号で答えよ。

①語い年齢と評価年齢を算出する。

②LC発達年齢と発達指数を算出する。

③語い，発音，音韻分類，及び読字の4つの側面から言葉の発達を診断する。

④言語発達遅滞児の指導方針の樹立に寄与する。

⑤ことばの理解力テスト，発音のテストなど，4つの下位検査から構成される。

ア：TK式言語発達診断検査　　イ：ことばのテストのえほん

ウ：S－S法言語発達遅滞検査　　エ：絵画語い発達検査

オ：言語・コミュニケーション発達スケール

解答

17 ①（⇒構音障害は，音に共鳴特性を加えて言語音にする構音器官の障害によって起こるものである） **18** ⑴ITPA（⇒Illinois Test Psycholinguistic Abilitiesの略） ⑵①エ ②オ ③ア ④ウ ⑤イ

19 **重複障害者について述べた以下の文章のうち，正しいものには○をつけ，誤っているものは，誤りの箇所を指摘し，正しい語句に直せ。**

→テーマ 7，19，50

①学校教育法施行令第130条第２項の規定により，重複障害者の指導にあたっては，各教科等（各教科，特別の教科である道徳，外国語活動，特別活動及び自立活動）を合わせた指導を行うことができる。

②特別支援学校にて，重複障害者の指導を行う場合，教科や外国語活動の目標や内容の一部を取り扱わないことができる。

③特別支援学校にて，重複障害者の指導を行う場合，各教科の目標や内容の一部を，下学年のものと代替することができる。

④特別支援学校中学部にて，重複障害者の指導を行う場合，外国語科に，小学部の外国語活動の目標や内容の一部を取り入れることができる。

⑤中学部で訪問教育を行った場合，校長は学習の成果に基づき，全課程の修了を認定する。

⑥重複障害者のうち，障害の状態により特に必要がある場合には，特別活動を主として指導を行うことができる。

⑦研修を受けた認定特定行為業務従事者（教職員含む）は，医師の指示の下，看護師等と連携し，医療的ケアのうち，喀痰吸引と経管栄養の一部を行うことができる。

⑧重複障害者，療養中の児童若しくは生徒又は障害のため通学して教育を受けることが困難な児童若しくは生徒に対して教員を派遣して教育を行う場合について，特に必要があるときは，実情に応じた授業時数を適切に定める。

⑨乳幼児が摂食機能を獲得するプロセスは８つの段階に分かれる。最初の段階は，捕食機能獲得期である。

解答

19 ①学校教育法施行令⇒学校教育法施行規則（学校教育法施行規則は，文部科学省の省令である） ②○ ③○ ④○ ⑤中学部⇒高等部 ⑥特別活動⇒自立活動 ⑦○ ⑧○ ⑨捕食機能獲得期⇒経口摂取準備期

20 発達障害に関する以下の設問に答えよ。 →テーマ51，52

⑴以下の文章は，ある法律が定めている，発達障害の定義の抜粋である。空欄に適語を入れよ。

> 発達障害とは，自閉症，アスペルガー症候群その他の（ ① ），学習障害，（ ② ）その他これに類する（ ③ ）の障害であってその症状が通常（ ④ ）において発現するものとして政令で定めるものをいう。

⑵この定義を定めている法律の名称を答えよ。

⑶2022年の文部科学省の実態調査によると，全国の公立小・中学校の児童生徒のうち，発達障害の児童生徒はどれほど存在すると報告されているか。以下のうちから，最も近いものを選び，番号で答えよ。

①１％　②２％　③６％　④８％　⑤10%　⑥15%

⑷以下の文章のうち，正しいものはどれか。全て選び，記号で答えよ。

①学習障害は，その原因として，中枢神経系に何らかの要因による機能不全があると推定されるが，知的障害が直接的な原因となることがある。

②注意欠陥多動性障害は，通常12歳になる前に現れ，その状態が継続するものであるとされている。

③注意欠陥多動性障害は，中枢神経系に何らかの要因による機能不全があると推定されるが，学習障害や自閉症を併せ有するケースはない。

④発達障害児の場合，つまずきや失敗が繰り返され，苦手意識や挫折感が高まると，心のバランスを失い，暴力行為，不登校，不安障害など様々な二次的な問題による症状が出てしまうことがある。

⑤学習障害児への特別な指導内容として，注意集中の持続に関することがある。

⑥発達障害は，生まれつきの脳の働き方の違いにより，対人関係や社会性，行動面や情緒面，学習面に特徴がある状態である。

解答

20 ⑴①広汎性発達障害　②注意欠陥多動性障害　③脳機能　④低年齢　⑵発達障害者支援法　⑶④（⇒正確には8.8%）　⑷②，④，⑥

21 **発達検査に関する以下の設問に答えよ。** →テーマ53

(1)S-M社会生活能力検査では，いくつの領域から社会生活能力を計測するか。

(2)以下の記述は，主な発達検査について記したものである。それぞれの名称を下の語群から選び，記号で答えよ。

①シンボル表象機能の発達を６つの段階で評価する。

②語彙年齢と評価点が出され，それをもとに語彙理解力の発達水準を評価する。

③姿勢・運動，認知・適応，言語・社会の３領域について，発達の様相を評価する。

④視覚と運動の協応，図形と素地，形の恒常性など，５つの下位検査からなり，各検査にて，知覚年齢と知覚指数を算出する。

⑤運動，探索・操作，社会，生活習慣，理解・言語の５領域からなり，領域別に発達輪郭表を作成する。

ア：津守式乳幼児精神発達診断検査　　イ：絵画語い発達検査
ウ：新版K式発達検査　　エ：フロスティッグ視知覚発達検査
オ：太田ステージ　　カ：精研式CLAC－Ⅲ

22 **ウェクスラー児童用知能検査に関する以下の設問に答えよ。**

→テーマ54

(1)ウェクスラー児童用知能検査の略称をアルファベット４字で答えよ。

(2)ウェクスラー児童用知能検査の適用年齢の上限は何歳か。

(3)ウェクスラー児童用知能検査の第５版の主要下位検査で新設された検査項目を３つ答えよ。

(4)以下の４つは，ウェクスラー児童用知能検査の主要指標である。それぞれを言い表す，アルファベットの略称を答えよ。

①言語理解　　②視空間　　③ワーキングメモリー　　④処理速度

解答

21 (1)６つ　(2)①オ　②イ　③ウ　④エ　⑤ア（⇒発達輪郭表がキーワードである）

22 (1)WISC　(2)16歳　(3)パズル，バランス，絵のスパン　(4)①VCI　②VSI　③WMI　④PSI

23 **障害の発見の制度等に関する以下の文章のうち，妥当なものはどれか。1つ選び，番号で答えよ。** →テーマ60

①学校保健安全法は，1歳6カ月児健康診査と3歳児健康診査の実施を，市町村に義務づけている。

②1歳6カ月児健康診査の一般検査の項目の一つに，「耳，鼻及び咽頭の疾病及び異常の有無」というものがある。

③学校保健安全法の規定により，各学校は，就学時の健康診断を実施しなければならない

④学校保健安全法施行令の規定によると，就学時の健康診断の項目の一つに，「眼の疾病及び異常の有無」というものがある。

⑤市町村保健センターは，地域における発達障害に対する取組を総合的に行う拠点として，設置されている機関である。

24 **ICFに関する以下の設問に答えよ。** →テーマ61

(1)以下の図は，ICFの概念図である。空欄に適語を入れよ。

概念図

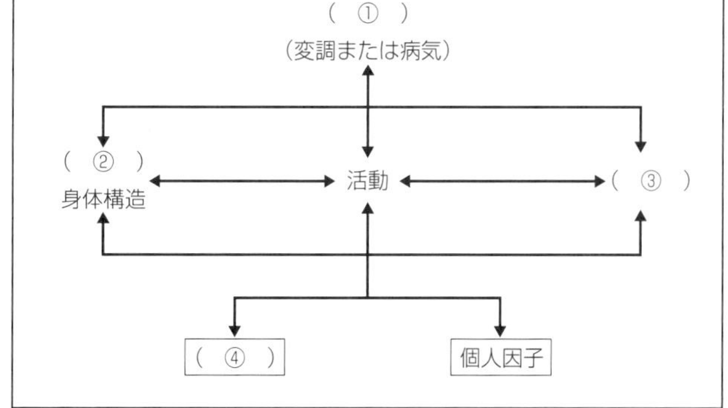

(2) ICFの和訳名称を答えよ。

(3) ICFを採択した国際機関の略称をアルファベット3字で答えよ。

解答

23 ④　**24** (1)①健康状態②心身機能　③参加　④環境因子　(2)国際生活機能分類　(3) WHO（⇒和訳名称は，世界保健機関である）

25 **障害者支援に関する以下の文章のうち，正しいものには○をつけ，誤っているものは，誤りの箇所を指摘し，正しい語句に直せ。**

→テーマ62，63，64，66，68，69，70，80

①障害者の権利に関する条約第24条第３項は，締約国に対し，「手話の習得及び聴覚障害者の社会の言語的な同一性の促進を容易にする」措置を講じることを求めている。

③都道府県知事または指定都市市長が交付する精神障害者手帳は，１級から５級の等級に分けられている。

③学校教育法第16条第３項は，「国及び地方公共団体は，障害のある児童及び生徒と障害のない児童及び生徒との交流及び共同学習を積極的に進めることによって，その相互理解を促進しなければならない」と定めている。

④障害者差別解消法が定める「障害者」の中には，発達障害者は含まれない。

⑤2018年４月より，障害者の法定雇用率の算定基礎に精神障害者が加えられることとなった。

⑥事業主は，障害者雇用率に相当する人数の身体障害者・知的障害者の雇用を義務づけられている。民間企業の場合，その比率は2024年４月から2.5%になっている。

⑦地域障害者職業センターは，障害者に対して，職業評価，職業指導，職業準備訓練，職場適応援助等の専門的な職業リハビリテーション，事業主に対する雇用管理に関する助言等を実施する。

⑧発達障害者支援法がいう発達障害児とは，発達障害者のうち18歳未満のものである。

⑨障害福祉サービスの就労継続支援（A型）は，一般企業等での就労が困難な人に，就労する機会を提供するとともに，能力等の向上のために必要な訓練を行うものである。

⑩民間企業に雇用されている障害者の数は増加の傾向で，特に知的障害者の伸び率が大きい。

解答

25 ①○　②５級→３級　③学校教育法⇒障害者基本法　④含まれない⇒含まれる　⑤○　⑥○　⑦○　⑧○　⑨A型⇒B型　⑩知的障害者→精神障害者

26 インクルーシブ教育に関する以下の問いに答えよ。 →テーマ71

(1)以下の文章の空欄に適語を入れよ。

○インクルーシブ教育システムとは，人間の（ ① ）の尊重等の強化，障害者が（ ② ）及び身体的な能力等を可能な最大限度まで発達させ，自由な社会に効果的に（ ③ ）することを可能とするとの目的の下，障害のある者と障害のない者が（ ④ ）に学ぶ仕組みをいう。

○合理的配慮とは，障害のある子どもが，他の子どもと（ ⑤ ）に教育を受ける権利を享有・行使することを確保するために，学校の設置者及び学校が必要かつ適当な変更・（ ⑥ ）を行うことであり，障害のある子どもに対し，その状況に応じて，学校教育を受ける場合に個別に必要とされるものであり，学校の設置者及び学校に対して，体制面，財政面において，（ ⑦ ）を失した又は過度の負担を課さないものをいう。

(2)上記の(1)の文章は，文部科学省「共生社会の形成に向けたインクルーシブ教育システム構築のための特別支援教育の推進」からの抜粋である。この報告書が出された年を西暦で答えよ。

(3)以下の表は，合理的配慮の観点1「教育内容・方法」についてまとめたものである。空欄に適語を入れよ。

教育内容	学習上又は生活上の（ A ）を改善・克服するための配慮
	学習内容の（ B ）・調整
教育方法	情報・（ C ）及び教材の配慮
	学習機会や体験の確保
	（ D ）・健康面の配慮

27 以下の事項の略称をアルファベットで答えよ。 →テーマ78

①発声が難しい人の会話を補助する機器。

②残された能力とテクノロジーの力で自分の意志を相手に伝える技法。

解答

26 (1)①多様性 ②精神的 ③参加 ④共 ⑤平等 ⑥調整 ⑦均衡 (2)2012年 (3)A：困難 B：変更 C：コミュニケーション D：心理面 27 ①VOCA ②AAC

索引

■ A～Z ■

AAC ……… 208
ABR ……… 161
BOA ……… 161
COR ……… 161
DN-CAS認知評価システム ……… 157
HTPテスト ……… 165
ICF ……… 172
ITPA言語学習能力診断検査 ……… 163
K-ABCⅡ心理・教育アセスメントバッテリー……… 157
KIDS乳幼児発達スケール ……… 154
P-Fスタディ ……… 164
PECS……… 167
S-M社会生活能力検査 … 154
S-S法言語発達遅滞検査… 163
TEACCHプログラム …… 166
TK式言語発達診断検査 … 163
VOCA ……… 208
WISC-Ⅴ知能検査 ……… 156

■ あ行 ■

アシスティブ・テクノロジー ……… 208
遊びの指導……… 61
アテトーゼ型……… 115
アユイ……… 33
アンジェルマン症候群…… 108
暗順応障害……… 85
石井亮一……… 33
医療的ケア……… 141
医療的ケア看護職員……… 141
医療的ケア児支援法……… 196
インクルーシブ教育……… 192
インリアルアプローチ…… 167
ウィリアムズ症候群……… 108
ウェクスラー……… 32
内田・クレペリン検査…… 165
エコラリア……… 136
嚥下……… 143
遠見視力……… 85
遠城寺式・乳幼児分析的発達検査法……… 154
遠用弱視レンズ……… 95
黄斑変性……… 87
応用行動分析……… 166
オージオグラム……… 98
オプタコン……… 95
音声教材……… 94
音声読書システム……… 95

■ か行 ■

カーク…………………………… 33
絵画語い発達検査… 155，163
ガイダンス……………………… 46
ガイドライン…………………… 91
カウンセリング………………… 46
各教科等を合わせた指導…… 60
学習障害……………………… 144
学習障害者……………………… 23
学習評価………………………… 45
学制……………………………… 30
拡大教科書……………………… 94
拡大読書器……………………… 95
喀痰吸引……………………… 141
柏学園…………………………… 30
柏倉松蔵………………………… 33
学校設定教科…………………… 39
カリキュラム・マネジメント
…………………………………… 48
感音難聴………………………… 97
感覚統合法…………………… 166
感光器…………………………… 95
気管支喘息…………………… 123
気管切開……………………… 142
器質性構音障害……………… 131
寄宿舎…………………………… 13
基礎的環境整備……………… 194
吃音…………………………… 132
機能性構音障害……………… 131
キャリア教育…………………… 47
求心性視野狭窄………………… 85
キュード・スピーチ…………… 58
教科書バリアフリー法………… 94
教科用特定図書等……………… 94
教科用図書……………………… 18
共生社会……………………… 192
筋ジストロフィー…………… 116
近用弱視レンズ………………… 95
空間座標軸……………………… 91
グッドイナフ人物画知能検査
……………………………… 157
クラインフェルター症候群
……………………………… 108
クルツ…………………………… 33
クレチン病…………………… 108
経管栄養……………………… 142
痙直型………………………… 115
血友病………………………… 123
言語検査……………………… 162
言語・コミュニケーション発達スケール…………………… 163
言語障害……………………… 130
言語聴覚療法………………… 166
原始反射……………………… 117
構音検査……………………… 163
構音障害……………………… 131
高音障害急墜型………………… 99
高音障害漸傾型………………… 99

口蓋裂…………………………… 131
光覚障害………………………… 85
高機能自閉症…………………… 136
合理的配慮………… 180，193
交流及び共同学習…………… 49
ゴールドマン視野計……… 159
語音聴力検査………………… 161
国際音声字母………………… 135
国際生活機能分類………… 172
国民学校令…………………… 31
骨形成不全症………………… 124
ことばのテストえほん…… 163
個に応じた指導……………… 43
個別の教育支援教育………… 29
個別の指導計画……… 28，43

■ さ行 ■

最小可聴値…………………… 160
作業学習……………………… 63
サラマンカ宣言……………… 11
視覚検査……………………… 158
視覚障害……………………… 84
視覚障害者…………………… 21
肢体不自由…………………… 114
肢体不自由者………………… 21
児童相談所…………………… 169
児童福祉施設………………… 169
自閉症………………………… 136
自閉症・情緒障害者………… 22
自閉症スペクトラム……… 137
自閉症・発達障害児教育診断検査
…………………………… 155
社会的障壁…………………… 189
弱視者………………………… 22
視野検査……………………… 159
視野障害……………………… 85
ジャックと豆の木………… 162
斜面机………………………… 95
就学指導……………………… 24
就学時の健康診断………… 168
授業時数……………………… 40
主題統覚検査………………… 164
手話…………………………… 102
純音聴力検査………………… 160
障害児通所支援……………… 185
障害者基本計画……… 11，177
障害者基本法………………… 176
障害者雇用促進法………… 190
障害者差別解消法………… 178
障害者就業・生活支援センター
…………………………… 191
障害者職業能力開発学校… 191
障害者総合支援法…… 11，182
障害者トライアル雇用事業
…………………………… 191
障害者の権利に関する条約
…………………………… 174
障害者の法定雇用率……… 190

障害のある子供の教育支援の手引…… 202
情緒障害…… 137
情報モラル…… 37
職場適応援助者（ジョブコーチ）…… 191
食物アレルギー…… 125
自立活動…… 74
視力検査…… 158
視力障害…… 84
白子眼…… 86
人工内耳…… 105，161
身体移動…… 91
身体虚弱…… 122
身体座標軸…… 91
新版K式発達検査…… 154
鈴木治太郎…… 33
スピーチオージオグラム…… 161
スピーチカウンセリング…… 167
性格検査…… 164
生活単元学習…… 62
精神年齢…… 157
セガン…… 32
摂食機能…… 143
センター的機能…… 52
選択性かん黙…… 137
総合的な学習の時間…… 73
ソーシャルスキルトレーニング…… 166
咀嚼…… 143

■ た行 ■

ターナー症候群…… 108
ダウン症…… 108
田中ビネー知能検査V…… 157
地域障害者職業センター…… 169，191
知的障害…… 106
知的障害者…… 21
知能検査…… 156
知能指数…… 157
注意欠陥多動性障害…… 145
注意欠陥多動性障害者…… 23
中心暗転…… 85
聴覚器官…… 96
聴覚検査…… 160
聴覚障害…… 96
聴覚障害者…… 21
聴力レベル…… 99
通級による指導…… 15
津守式乳幼児精神発達診断検査…… 154
定位…… 91
低音障害型…… 98
適応行動の困難性…… 109
デュシェンヌ型…… 116
伝音難聴…… 97
てんかん…… 108，124
点字…… 92

点字エディタ・プリンタ…… 95
点字教科書…………………… 94
点字携帯情報端末…………… 77
点字ディスプレイ…………… 77
投影法……………………… 164
動的家族描画法…………… 165
糖尿病……………………… 124
特別活動…………………… 73
特別支援学級……………… 14
特別支援教育……………… 10
特別支援教育の推進について
　……………………………… 198
特別の教科・道徳………… 72
特例子会社制度…………… 190
ド・レペ…………………… 32

■ な行 ■

難聴者……………………… 22
日常生活の指導…………… 60
二分脊椎…………………… 117
日本版デンバー式発達スクリーニング検査……………… 154
乳幼児聴力検査…………… 161
乳幼児のコミュニケーション発達アセスメント…………… 163
入力支援機器……………… 59
認定特別支援学校就学者…… 24
ネフローゼ症候群………… 123
脳性まひ…………………… 115

■ は行 ■

ハインズブレーク………… 91
バウム・テスト…………… 165
白杖………………………… 91
白内障……………………… 87
箱庭療法…………………… 167
白血病……………………… 123
発達検査…………………… 154
発達支援…………………… 189
発達障害…………………… 144
発達障害者支援センター
　…………………… 169, 191
発達障害者支援法………… 188
パラシュート反射………… 117
ハローワーク……………… 191
ハンフリー自動視野計…… 159
ピアジェ…………………… 32
非対称性緊張性頸反射…… 116
筆記用自助具……………… 58
病弱………………………… 122
病弱者……………………… 21
ピンディスプレイ………… 95
ファミリアリゼーション…… 91
フィッティング…………… 104
フェニールケトン尿症…… 108
福祉事務所………………… 169
プラダー・ウィリー症候群 108
プログラミング…………… 44

フロスティッグ視知覚発達検査 …… 155
文章完成テスト …… 165
ベアリング …… 91
ベッカー型 …… 116
ペルテス病 …… 124
法定雇用率 …… 190
訪問教育 …… 45
ポーテージプログラム …… 167
保健所 …… 169
歩行指導 …… 90
補聴器 …… 104

■ ま行 ■

マカトン法 …… 167
ミネソタ多面人格目録 …… 165
ムーブメント教育 …… 166
ムーブメント教育・療育プログラムアセスメント …… 155
明順応障害 …… 85
盲啞院 …… 30
盲啞学校 …… 30
盲学校及聾啞学校令 …… 30
網膜 …… 86
網膜色素変性 …… 87
網膜剥離 …… 87
モーズレイ性格検査 …… 165
モロー反射 …… 117

■ や行 ■

矢田部・ギルフォード性格検査 …… 165
ユニバーサルデザイン …… 194
指文字 …… 103
養護学校 …… 31
養護・訓練 …… 207
幼児健康診査 …… 168

■ ら行 ■

ランドマーク …… 91
ランドルト環 …… 84
リトミック教育 …… 166
緑内障 …… 87
ルイ・ブライユ …… 32
レシュ・ナイハン症候群 …… 108
ロールシャッハ・テスト …… 165

執筆者紹介

舞田　敏彦（まいた　としひこ）

東京学芸大学大学院博士課程修了。教育学博士。

著　書　『47都道府県の子どもたち』『47都道府県の青年たち』『教育の使命と実態』（以上，武蔵野大学出版会），『データで見る 教育の論点』（晶文社）

●本書の内容に関するお問合せについて

本書の内容に誤りと思われるところがありましたら，まずは小社ブックスサイト（booksjitsumu.co.jp）中の本書ページ内にある正誤表・訂正表をご確認ください。正誤表・訂正表がない場合や訂正表に該当箇所が掲載されていない場合は，書名，発行年月日，お客様の名前・連絡先，該当箇所のページ番号と具体的な誤りの内容・理由等をご記入のうえ，郵便，FAX，メールにてお問合せください。

〒163-8671　東京都新宿区新宿 1-1-12　実務教育出版　第二編集部問合せ窓口

FAX：03-5369-2237　　E-mail：jitsumu_2hen@jitsumu.co.jp

【ご注意】

※電話でのお問合せは，一切受け付けておりません。

※内容の正誤以外のお問合せ（詳しい解説・受験指導のご要望等）には対応できません。

2026年度版　教員採用試験　特別支援学校らくらくマスター

2024年 9 月25日　初版第 1 刷発行　〈検印省略〉

編　者　資格試験研究会
発行者　淺井亨

発行所　株式会社　実務教育出版
〒163-8671　東京都新宿区新宿1-1-12
TEL 編集03-3355-1812　　販売 03-3355-1951
振替　00160-0-78270

組　版　明昌堂
印　刷　シナノ印刷
製　本　東京美術紙工

©JITSUMUKYOIKU-SHUPPAN 2024　本書掲載の試験問題等は無断転載を禁じます。
ISBN 978-4-7889-5991-0 C0037　Printed in Japan
乱丁，落丁本は小社にておとりかえいたします。